- 2001 -

All my congratulation!
My Doudou adorée!
Ça y est notre petit Alexandre
est arrivé...
Je suis sûre que c'est le plus
beau bébé au monde-
Je l'aime déjà!!

Je t'embrasse et fais de gros
bisous à papa Shawn.
Tatie Yaya.

COMMENT BIEN NOURRIR MON BÉBÉ?

Ode à Corydon

Achète des abricots,
Des pompons*, des artichauts,
Des fraises et de la crème :
C'est en été ce que j'aime,
Quand, sur le bord d'un ruisseau,
Je les mange au bruit de l'eau,
Étendu sur le rivage
Ou dans une antre sauvage.

Ronsard

* melons

COMMENT BIEN NOURRIR MON BÉBÉ?

DE LA NAISSANCE À **2** ANS,
UN GUIDE COMPLET POUR UNE ALIMENTATION
SAINE ET ÉQUILIBRÉE

Suzannah Olivier

Recettes de Susan Herrmann Loomis
Illustrations d'Emily Bolam

Traduction d'Emmanuelle Pingault

Gründ

À MON FILS, BENEDICT

Les informations contenues dans cet ouvrage
n'ont pas pour but de se substituer aux conseils
de votre médecin, que vous devez consulter
si vous êtes inquiet pour votre enfant.

Pour plus de commodité, j'ai choisi d'employer le
pronom masculin tout au long du texte ; les parents
de petites filles voudront bien me pardonner !

Adaptation française
Emmanuelle Pingault

Texte original
Suzannah Olivier

Secrétariat d'édition
Justine de Lagausie

Première édition française 1998
par Éditions Gründ, Paris
© 1998 Éditions Gründ pour l'édition française
ISBN 2-7000-6448-8
Dépôt légal : septembre 1998

Édition originale 1998 par George Weidenfeld &
Nicolson Limited, The Orion publishing Group,
sous le titre : *What Should I Feed my Baby ?*

© 1998 Suzannah Olivier pour le texte
© 1998 Emily Bolam pour les illustrations
© 1998 Weidenfeld & Nicolson pour la conception

PAO : Liani Copyright, Paris
(texte en Newbaskerville et titres en Dom Casual)

Imprimé en Italie

SOMMAIRE

POURQUOI VOUS DEVEZ LIRE CE LIVRE

La santé de ce merveilleux petit être qu'est votre enfant dépend totalement de vous. Son alimentation est comme une page blanche, et il vous appartient de lui offrir les meilleurs aliments afin qu'il puisse grandir, se développer et s'épanouir harmonieusement.

Vous serez inévitablement bombardé d'informations, de messages publicitaires et d'anecdotes personnelles, souvent contradictoires, censés vous enseigner comment on nourrit un enfant. Or, bien des gens savent mieux comment fonctionne leur ordinateur ou leur voiture que leur corps. Pour le comprendre, nous avons besoin d'un mode d'emploi. Si la décision m'appartenait, on enseignerait la nutrition à l'école ; c'est la clé de la santé de notre premier à notre dernier jour. Hélas, le sujet n'est abordé ni dans les écoles, ni même dans certaines facultés de médecine.

Chaque jour, nous avalons et faisons avaler à nos enfants des aliments divers, sans savoir quels sont leurs effets, ni si nous avons fait le meilleur choix. Avec ce livre, j'espère vous transmettre quelques principes vitaux qui vous permettront de donner les meilleures chances à votre enfant, pour qu'il devienne un adulte heureux et en bonne santé.

En tant que nutritionniste, je m'efforce de toujours mettre en pratique les découvertes les plus récentes et les plus sérieuses : c'est là le but de cet ouvrage. En tant que mère, toutefois, je sais bien que la perfection doit souvent céder le pas devant la réalité d'une vie active et d'habitudes bien enracinées.

Ce livre ne contient pas de règles ; c'est un guide qui vous apprendra tout ce que vous devez savoir pour décider par vous-même. Il se veut outil de référence, en particulier grâce aux menus types, qui vous montreront comment mettre à profit les informations des chapitres précédents. Je ne veux surtout pas vous donner de complexes parce que vous ne faites pas toujours bien. En matière d'alimentation, les avis et les usages sont d'une variété infinie, ce qui peut créer des conflits épineux. Prenez dans ce livre ce qui vous convient, à vous et à votre enfant. Vous savez ce qui s'accorde à votre mode de vie mieux que n'importe quel « expert ».

Je souhaite que vous preniez plaisir à lire cet ouvrage, puis à en appliquer les principes qui vous séduisent. Partez à la découverte des propriétés des aliments, explorez les gastronomies étrangères, et vous donnerez à votre enfant un bon départ dans la vie. Et, surtout, prenez plaisir à être avec votre enfant !

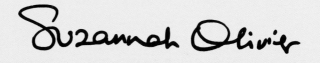

CHANGER
SES HABITUDES

En mettant sur pied le programme alimentaire de votre bébé, vous vous rendrez vite compte qu'il vous faudra modifier les habitudes alimentaires de toute la famille. Sinon, les fondations si soigneusement établies seront sapées dès que l'enfant commencera à manger avec les adultes.

Changer ses habitudes, ce n'est pas facile. Il se peut que votre alimentation soit déjà saine ; dans ce cas, il ne vous sera pas bien difficile d'y ajouter un ou deux points bénéfiques. Si vous avez déjà feuilleté les pages qui suivent, vous avez peut-être été effrayé par la liste des mesures à prendre pour nourrir votre enfant de manière idéale… à moins que vous n'ayez été enthousiasmé au point de dresser une liste de bonnes résolutions et d'achats indispensables de plusieurs pages.

Au moment de nous lancer dans une entreprise nouvelle (manger mieux, commencer la gymnastique, se lever plus tôt, travailler davantage, etc.), nous avons souvent tendance à viser trop haut, et la déception est alors inévitable. Pourtant, si l'on s'y prend bien, la transition peut se faire en douceur. Le tout, c'est de ne pas s'emballer.

ALLEZ-Y DOUCEMENT

J'ai vu certaines personnes, sous le coup de l'enthousiasme, se précipiter pour dépenser une fortune en aliments nouveaux et se rendre compte quelque temps plus tard que leurs yaourts moisissaient au réfrigérateur, que leurs graines germées se desséchaient et que leurs céréales avaient pris la poussière. C'est que, pour faire face à leur emploi du temps chargé, ils avaient vite oublié leurs bonnes résolutions pour se tourner vers leurs plats habituels.

Lorsque je conseille mes patients, je préfère ne leur donner que quelques consignes claires et faciles qu'ils peuvent appliquer sans perturber leurs habitudes de fond en comble. Quelques semaines plus tard, nous passons à l'étape suivante. La modification des coutumes alimentaires peut prendre des mois. L'avantage de cette méthode lente, c'est que les changements effectués s'installent pour toujours.

Si, au moment où vous lisez ces lignes, votre enfant est à naître ou nouveau-né, neuf mois environ vous séparent du moment où il commencera à manger comme les autres membres de la famille : vous avez donc du temps devant vous. Si votre petit est plus âgé, il n'est pas trop tard : vous pouvez encore changer dans le bon sens.

Je sais par expérience qu'une habitude alimentaire nouvelle ne s'établit solidement que si elle repose sur une bonne habitude existante, que l'on applique simplement mieux et plus souvent. Si vous mangez du poisson une fois par semaine, par exemple, mangez-en deux fois. Si vous aimez les fruits, mais n'en consommez que deux par jour, efforcez-vous d'en manger un ou deux de plus et achetez-en une plus grande variété. Si vous adorez les lentilles mais n'en préparez que rarement, tâchez d'y penser plus souvent. Cuisinez ce qui est bon, ce qui vous plaît, et les aspects les moins positifs de votre alimentation disparaîtront peu à peu.

Je vous suggère d'introduire une nouvelle habitude et un nouvel aliment dans votre régime chaque semaine ou tous les quinze jours, comme vous préférez. Côté bonnes habitudes, par exemple, vous boirez plus d'eau, vous mangerez des légumes deux fois par jour, vous consommerez des yaourts, vous ne grignoterez que les friandises suggérées dans ce livre, ou encore vous apprendrez à cuisiner à la vapeur. Côté nouveaux aliments, pourquoi ne pas découvrir l'huile de lin alimentaire, les graines de courge, les substituts de produits laitiers, les graines germées ou les viandes maigres telles que le gibier ? N'entreprenez qu'un changement à la fois, sinon vos chances de réussite ne pèseront pas lourd, surtout si vous êtes un peu débordé – et quel parent ne l'est pas ?

Éliminer un aliment de son régime est toujours un exercice intéressant. Au fil des pages, je signale quels signes peuvent faire soupçonner une allergie alimentaire, ou je suggère d'éviter tel ou tel aliment quand on allaite son enfant. Pour certaines personnes, cela ne pose pas de problème, car elles se rendent compte que cela leur fait du bien. Mais d'autres éprouvent beaucoup plus de difficultés. Réduire sa consommation de froment, par exemple, semble très pénible si on se régale de pain et de pâtes et si on n'a jamais goûté aux 10 ou 12 autres céréales et féculents qui peuvent prendre sa place. Dans ce cas, il vaut mieux commencer par se familiariser avec les remplaçants.

Je vous garantis que, si vous opérez progressivement, vos habitudes vont s'améliorer au fil du temps. Lier une sauce au yaourt et non à la crème fraîche ne sera plus un sacrifice. Grignoter une poignée de noix fraîches sera aussi bon que dévorer un paquet de chips. Au comptoir traiteur du supermarché, vous choisirez du houmous, de la salsa, du guacamole et des olives au lieu de prendre trois sortes de fromage ; commander un verre d'eau gazeuse avec une rondelle de citron vous sera aussi naturel que de boire un soda aujourd'hui.

La meilleure façon de se défaire de ses anciennes habitudes, c'est d'en créer de nouvelles. Modifiez les vôtres progressivement, adoptez de nouveaux aliments, et, à long terme, la santé de votre bébé en sera améliorée.

UNE BONNE SANTÉ SE BÂTIT
PENDANT L'ENFANCE

L'alimentation est fondamentalement liée à la santé. Votre bébé est fait de tout ce que vous, sa mère, avez mangé durant votre grossesse, et de tout ce qu'il a absorbé et digéré depuis sa naissance. Je suis persuadée que la qualité et la digestibilité de cette nourriture déterminent la nature des cellules du corps de votre enfant et le bon fonctionnement de son organisme, même si l'on tient compte de l'hérédité. Les aliments ne sont pas égaux entre eux et de bons choix alimentaires peuvent faire beaucoup pour aider votre enfant à jouir d'une santé de fer.

Les recherches tendent de plus en plus à prouver qu'une bonne santé à l'âge adulte se construit au cours des années d'enfance.

• Un enfant qui naît avec un foie de bonne taille, où le cholestérol est correctement métabolisé, court un risque plus faible de maladie cardio-vasculaire au cours de son existence.

• Certains enfants mal alimentés, parfois âgés de 10 ans seulement, ont déjà les artères encrassées.

• On a constaté, sur des jeunes filles dont le régime est riche en sodium et pauvre en potassium, les premiers signes de l'ostéoporose (manque de solidité de l'os). La haute teneur en dérivés phosphorés des boissons gazeuses a également été incriminée.

Selon plusieurs études, un enfant obèse a 80 % de risques de devenir un adulte obèse.

Il est inutile de vous inquiéter, toutefois, si votre alimentation au cours de votre grossesse était loin d'être parfaite. La nature sait se montrer indulgente. Chaque cellule, et même chaque molécule du corps humain, se renouvelle en six à douze mois. La cadence est encore plus rapide chez l'enfant en bas âge. Nous disposons donc d'un fantastique potentiel pour trouver ou retrouver la santé, à condition d'employer les matières premières adéquates.

MIEUX VAUT PRÉVENIR QUE GUÉRIR

Il existe des signes d'avertissement de ce que j'appellerai une santé affaiblie. Il ne s'agit pas nécessairement d'une maladie déclarée, ni de symptômes cliniques identifiables par votre médecin, mais plutôt d'une déficience générale.

Chez l'enfant, cela peut prendre la forme d'une mauvaise humeur persistante, de cernes sous les yeux, de troubles gastriques réguliers, d'une sécheresse cutanée, d'un manque d'énergie ou d'une excitabilité excessive. Les petits enfants étant incapables d'exprimer tout cela, c'est aux parents d'être vigilants. Il n'est pas question de vous affoler au moindre changement de votre bambin, mais de surveiller sa santé à long terme afin de distinguer ce qui est normal pour lui et ce qui mérite attention.

Mon expérience m'a enseigné que, si vous êtes attentif et savez lutter contre cet affaiblissement, vous pourrez empêcher le développement des troubles infantiles les plus graves. Si vous savez que votre enfant est sujet aux intolérances alimentaires, il vous suffit de traiter toute diarrhée ou constipation, érythème fessier ou cernes sous les yeux pour prévenir l'apparition d'un eczéma gênant ou de maux de têtes chroniques.

Certains troubles graves – maladies cardiaques, cancer et diabète – ont des facteurs génétiques indéniables. On nous avertit souvent de nous attendre au pire si la maladie est présente dans la famille. Mais ces affections sont également liées à nos habitudes alimentaires, comme l'ont souligné les services américains de la santé et l'Organisation mondiale de la santé. Or, le mode d'alimentation se transmet, tout comme les gènes.

Il est aussi important de prévenir les maladies que de donner le meilleur départ dans la vie à votre enfant, pour qu'il puisse s'épanouir et réaliser tout son potentiel en devenant un adulte heureux et bien portant.

QU'EST-CE QU'UNE BONNE NUTRITION?

Les parents informés savent qu'il existe des recommandations nutritionnelles officielles, adaptées à l'enfant sain moyen. Mais votre bébé n'est pas une moyenne, il est unique. Ce qui est bon pour un enfant ne l'est pas forcément pour son voisin. Vous tenez à lui donner ce qu'il y a de mieux, et ce mieux est différent de ce qui conviendra à un autre.

Voici les trois idées fondamentales qui forment la base d'une bonne nutrition.

Chaque individu est unique Bien des conseils sont destinés à l'enfant « moyen ». Mais en connaissez-vous un ? La réaction que les enfants présentent face à un aliment ou à un nutriment est conditionnée par des facteurs génétiques. D'un enfant à un autre, la nourriture est digérée, absorbée et utilisée différemment. Divers facteurs génétiques entraînent des besoins individuels spécifiques. Quand un enfant a besoin d'un régime plus riche en lipides, un autre demande davantage de protéines, et un troisième doit prendre plus de zinc ou de vitamine C.

Les nutriments ne travaillent pas seuls Nous vivons une époque de modes et, de temps à autre, un aliment ou nutriment particulier devient la coqueluche du moment. Récemment, on recommandait aux futures mères, à juste titre d'ailleurs, de prendre chaque jour 400 microgrammes (µg) d'acide folique avant même la conception et tout au long du premier trimestre, afin de réduire les risques de malformation du tube neural du fœtus. La plupart des femmes reçoivent du fer pour lutter contre l'anémie au troisième trimestre. Certaines sont même supplémentées en calcium. Et pourtant, dans la nature ou dans les aliments, les nutriments ne se présentent jamais isolément. Ils sont toujours accompagnés d'une multitude de cofacteurs avec lesquels ils se combinent de manière à être le plus efficaces possible.

L'acide folique se conjugue avec les vitamines C et B12, qui favorisent son utilisation par l'organisme. L'anémie n'est pas systématiquement une carence en fer, mais peut résulter d'un manque de zinc, qui en facilite l'assimilation, ou même d'un manque d'acides gras essentiels, qui aident à le fixer. Le calcium est plus efficace s'il est associé au magnésium, au bore et à la vitamine D. C'est peut-être très compliqué, mais le corps humain ne l'est pas moins ! Heureusement, les bons aliments nous fournissent une large gamme de nutriments.

L'environnement affecte différemment chaque individu L'enfant qui vit dans un centre urbain a des besoins différents de ceux d'un petit habitant du bord de mer. Le stress auquel est exposé un enfant a des conséquences nutritionnelles. Toute nourriture est elle-même un facteur environnemental, puisqu'elle reste une influence extérieure jusqu'à son assimilation. C'est pourquoi les denrées chargées de résidus chimiques ou de conservateurs ont sur l'organisme un impact différent de celles qui en sont dépourvues.

En gardant ces principes à l'esprit, j'espère vous permettre de prendre les meilleures décisions pour l'alimentation de votre enfant. J'essaierai aussi de vous apprendre à faire le tri parmi tous les conseils contradictoires qui ne manqueront pas de s'abattre sur vous, y compris ceux de la publicité, et à décider par vous-même si l'information que vous recevez est digne de foi.

1

L'INCROYABLE MACHINE HUMAINE

Les petits garçons et les petites filles sont composés, par ordre décroissant, d'eau, de protéines, de lipides et de sels minéraux, ainsi que de faibles réserves d'hydrates de carbone et de vitamines. Ils abritent les réactions chimiques les plus incroyablement complexes que la nature ait inventées, avec en plus ce petit quelque chose qui fait d'eux des êtres uniques.

LA PREMIÈRE ANNÉE DE CROISSANCE

Inutile de faire des études scientifiques pour être émerveillé par le développement stupéfiant qui fait d'une simple cellule un être humain complet. Les ouvrages les plus élémentaires sur la grossesse montrent d'extraordinaires photographies, réalisées au microscope électronique, de cellules qui prennent chacune une fonction différente pour devenir de petits bras, de petites jambes, des doigts et des orteils minuscules.

En vous penchant de plus près sur ces cellules, vous pourriez constater que chacune est une véritable usine. Toutes les fonctions cellulaires dépendent de matières premières, qui leur fournissent énergie et matériaux. Chez le nourrisson, la vitesse de reproduction, de renouvellement et de réparation des cellules est prodigieuse. Maintenant que vous savez tout cela, vous n'en aurez, je l'espère, que plus de respect pour ce processus, et vous comprendrez quelle différence radicale la nutrition peut apporter.

DODO, L'ENFANT DO

Pourquoi les bébés dorment-ils tant? L'une des raisons est qu'ils économisent leur énergie afin de la consacrer à leur croissance.

QU'EST-CE QUI EST « NORMAL » ?

Cette question est toujours source d'anxiété pour les parents, surtout lors de la première naissance. Tout d'abord, il vous faut comprendre que votre enfant est un individu, et que ce qui est « normal » pour un autre ne l'est pas forcément pour lui. Votre médecin procédera à des vérifications régulières au cours de sa prime enfance, et je vous encourage à profiter des enseignements qu'il pourra vous fournir.

LE POINT DE VUE DU MÉDECIN

Au cours des premiers mois, l'enfant est souvent pesé et mesuré; les courbes de croissance qu'établit votre médecin vous diront si votre enfant se développe correctement par rapport à la taille et au poids moyens pour son âge. Le médecin ou l'infirmière recherchent certains marqueurs de santé : la taille, le poids, la tonicité, la dextérité, la coordination, l'acuité visuelle et auditive. Ils soumettront votre enfant à des examens standards destinés à dépister divers troubles et maladies. Vous vous apercevrez peut-être que si les connaissances en nutrition pédiatrique de votre praticien sont utiles pour détecter les carences les plus aiguës, elles ne vont pas forcément dans le sens d'un emploi positif et constructif de l'alimentation.

Qu'est-ce qu'une cellule ?

Chaque cellule comporte un centre de commande appelé noyau, et une centrale énergétique nommée appareil mitochondrial. Dans chacun de ces deux pôles, il existe un centre de transport et de stockage destiné aux divers produits cellulaires, le réticulum endoplasmique. Le traitement, le tri et la distribution des protéines sont désignés sous le terme de complexes de Golgi. Les lysosomes se chargent de rejeter les déchets. Toutes les cellules sont protégées par des membranes phospholipidiques complexes, composées de graisse et de protéines, qui les rendent insolubles tout en permettant aux nutriments d'y pénétrer par des voies *ad hoc*. Selon leur type, les cellules sont équipées de récepteurs hormonaux sensibles à certains signaux spécifiques. Et toutes les cellules produisent leurs propres hormones locales, les prostaglandines. La cellule comporte en plus un extraordinaire ensemble de mécanismes reproducteurs et réparateurs, qui effacent d'éventuelles dégradations.

LE POINT DE VUE DU NUTRITIONNISTE

Si vous espérez faire de votre enfant un avant-centre ou une amazone, la nutrition peut mettre en valeur son potentiel, mais elle a ses limites. La génétique a son rôle à jouer. Quand les parents mesurent 1,60 mètre, il ne faut pas s'étonner que leur enfant ne soit guère plus grand, même adulte.

Dans ma pratique de nutritionniste, je m'intéresse autant aux symptômes qu'aux marqueurs de développement. Comment sont les selles de l'enfant ? Sa peau est-elle douce et lisse, ou sèche et desquamée ? Porte-t-il des zones d'inflammation ou d'irritation ? Quels sont ses rythmes de sommeil ? L'enfant est-il calme et heureux, ou bien manifeste-t-il des signes d'apathie ou d'hyperactivité légère ? A-t-il les yeux brillants et vifs ? Se défend-il bien contre les infections ? En d'autres termes, quels marqueurs de bonne santé observe-t-on chez lui ?

Du moment que l'enfant reçoit ce qu'il lui faut pour atteindre son niveau optimal, son organisme a la capacité de fonctionner au mieux au niveau cellulaire et son corps ne montre aucun symptôme. La présence de signes cliniques révèle que quelque chose fait défaut ou entrave le bon fonctionnement du corps. Elle peut également vouloir dire que l'enfant a des besoins nutritionnels génétiques particuliers.

Ma réponse à la question : « Qu'est-ce qui est normal ? » est donc celle-ci : est normal pour votre enfant ce qui, compte tenu de son héritage génétique, lui permet de se développer pour atteindre son niveau optimal. Il n'y a pas d'autre norme ; tout le reste n'est que moyennes statistiques sans valeur quand on s'intéresse à un individu.

Si je dis cela, c'est parce que ces fameuses moyennes ne cessent de changer. Tous les vingt ans environ, la taille, le poids et le quotient intel-

lectuel moyens, auxquels votre enfant est censé se conformer, évoluent vers le haut ou vers le bas. Cerner ce qui convient le mieux à la santé de votre enfant est une tâche unique. Les valeurs moyennes vous tracasseront si votre enfant ne les atteint pas, ou elles vous conduiront à attendre trop de lui s'il les dépasse. Faites ce qu'il y a de mieux pour votre enfant et vous ne serez jamais perdant.

Il existe des signes extérieurs qui permettent de déceler un changement dans la santé de votre enfant. Parfois, ils sont le reflet d'un déséquilibre nutritionnel, d'une allergie, d'une infection ou de tout autre trouble qui peut mériter un traitement médical… et d'autres fois, ils sont tout à fait bénins. C'est à ces changements que vous devez vous intéresser. Certains enfants sont naturellement pâles, d'autres ont le teint rubicond. Si un enfant passe durablement de l'un à l'autre, la vigilance est de mise. Le tableau ci-contre vous donne une liste de signes à surveiller.

Tous les parents devraient connaître certaines notions de diététique. Avant que nous les abordions, j'aimerais que nous nous penchions sur les fonctions physiologiques du nourrisson ; c'est à la fois intéressant et instructif. Nous allons donc examiner quelques fonctions dont l'étude est, je crois, la plus utile : l'appareil digestif, le système nerveux et le système immunitaire.

Les signes cliniques qui intéressent le nutritionniste

TEINT
Teint uni
Teint rubicond
Pâleur
Couperose
Teint brouillé

ASPECT DE LA PEAU
Lisse et ferme
Sèche
Craquelée
Éruptive
Boutonneuse
Enflammée par endroits
Facilement contusionnée

YEUX
Normalement brillants
Absence de cernes
Cernes en cas de fatigue
Cernes occasionnels
Cernes permanents
Conjonctivite à répétition

APPÉTIT
Bon
Faible
Excessif
Soif excessive

DIGESTION
Sans problème
Régurgitations
Pets
Coliques
Ballonnements fréquents

SELLES
Copieuses, s'évacuant
facilement
Constipation
Molles
Diarrhée
Nombreuses particules non
digérées
Couleur : blanches/jaunâtres,
brunes, noirâtres
Présence de mucus, de vers

TONICITÉ
Tonique
Apathique
Turbulent
Trop actif
Hyperactif

HUMEUR
Jovial
Passif
Agressif
Malheureux
Pleurs excessifs
Anxieux
Exigeant
Agité

NIVEAU D'ATTENTION
Se concentre bien
Attentif à l'occasion
S'intéresse à son
environnement
Ne s'intéresse à rien
Apathique

RYTHMES DE SOMMEIL
Cycle régulier
Bon sommeil
Nuits agitées
Dort beaucoup
Dort peu

RESPIRATION
Régulière
Ronflante
Mucus dans les voies
respiratoires
Peine à reprendre son
souffle

SYSTÈME IMMUNITAIRE
Vainc facilement les
infections
Guérit lentement
Sujet à la fièvre
Présence fréquente de
mucus dans les voies
respiratoires ou le nez
Manifestations allergiques
(rhume des foins, eczéma,
asthme, psoriasis)
Issu d'une famille
d'allergiques
Otites fréquentes

POIDS
Grandit et grossit bien
Hypertrophié
Hypotrophié

LA CLÉ DE LA SANTÉ : L'APPAREIL DIGESTIF

Le tube digestif des nouveau-nés n'est pas entièrement achevé et n'atteint sa pleine maturité qu'autour de 2 ans. Au cours de la première année de vie, la muqueuse digestive est plus perméable que celle des adultes et laisse plus facilement passer les protéines. Cela signifie que nous devons respecter certaines différences entre le régime des bébés et celui des adultes.

LA DIGESTION

Le mécanisme digestif commence dans la bouche, où les aliments sont mêlés à une enzyme qui digère les hydrates de carbone. La présence de nourriture dans la bouche déclenche également la production d'autres enzymes plus loin dans l'appareil digestif. Il est sans objet de discuter des avantages d'une bonne mastication quand il s'agit d'un nourrisson. En revanche, quand il grandit, il est utile de lui rappeler que mâcher longuement est l'un des plus sûrs moyens de faciliter la digestion, et donc de préserver sa santé.

L'estomac des bébés et des jeunes enfants est petit et ne peut digérer que des portions réduites. C'est pourquoi il vaut mieux nourrir les très jeunes enfants souvent, mais peu à la fois : une collation dans la matinée et un goûter sont le plus souvent nécessaires. C'est dans l'estomac que commence la digestion des protéines, car c'est là que sont sécrétés les enzymes et l'acide chlorhydrique (eh oui !) indispensables.

Ensuite, une fois qu'elle a été suffisamment acidifiée, la nourriture passe de l'estomac à l'intestin grêle. Là, diverses enzymes, ainsi que la bile, sécrétées par le pancréas et la vésicule biliaire, se chargent de digérer les hydrates de carbone et les lipides. À mesure que la nourriture progresse dans l'intestin, l'absorption commence. L'intérieur de l'intestin grêle est tapissé de minuscules saillies, les villosités, qui augmentent la surface du tube digestif afin de permettre une absorption maximale. Chez l'adulte, la surface des seules villosités intestinales est à peu près égale à celle d'un terrain de football ! Elles peuvent être endommagées par des allergies alimentaires, ce qui entraîne un certain nombre de problèmes. Heureusement, elles ont également un bon potentiel de récupération.

La capacité de renouveler régulièrement son stock d'enzymes est la condition la plus importante d'une bonne digestion. Il faut signaler que les bébés ne commencent à produire l'amylase, l'une des enzymes les plus indispensables à la digestion des féculents, que vers 4 à 6 mois. Quant à la pepsine, dont le rôle est de fragmenter les protéines, elle n'est sécrétée dans des proportions comparables à l'adulte que vers l'âge de 2 ans. Pour faciliter la production d'enzymes, il faut boire de l'eau en quantité suffisante et consommer des fruits et des légumes variés (crus ou peu cuits), car ils contiennent les enzymes végétales nécessaires à la formation des enzymes humaines. La cuisson détruit les enzymes végétales (voir page 72).

L'ÉQUILIBRE BACTÉRIEN

Le gros intestin, ou côlon, se situe en bout de chaîne ; c'est là qu'ont lieu la digestion bactérienne et la fin de l'absorption, et que l'eau contenue dans les aliments est absorbée par l'organisme.

Des millions de bactéries ont élu domicile dans le côlon. L'équilibre de cette flore est crucial pour notre santé. L'idéal est de 80 % de « bonnes » bactéries pour 20 % de « mauvaises ». Si cet équilibre est rompu, certains phénomènes ne peuvent plus avoir lieu normalement. Les bactéries servent à digérer les derniers résidus protéiques ; elles fractionnent les chaînes carbonées, ce qui évite la formation d'un excès de gaz. Enfin, elles produisent certaines des vitamines dont notre vie dépend, en particulier celles du groupe B et la vitamine K. Toute prolifération des « mauvaises » bactéries fait porter un poids supplémentaire au système immunitaire, car elles libèrent des substances dérivées toxiques. Grâce aux « bonnes » bactéries, le milieu intestinal est légèrement acide, ce qui réduit les risques de cancer du côlon.

La flore intestinale ne compte pas moins de 400 espèces de bactéries. Vous connaissez peut-être le nom de certaines : *acidophilus* et *bifidus*, par exemple. Le nom des bactéries néfastes est moins connu, sauf celui de l'*Escherichia coli* 0157 (les autres souches de *E. coli* sont bénéfiques). Un déséquilibre bactériologique peut se manifester sous la forme d'une candidose, entre autres.

Parmi les pratiques qui favorisent l'intégrité de la flore intestinale, on peut citer l'allaitement maternel, la consommation de yaourts, une alimentation riche en fibres, surtout en fibres solubles (voir page 49). Un déséquilibre peut être exacerbé par l'alimentation au biberon, la prise d'antibiotiques, un régime pauvre en fibres ou un stress excessif.

Certaines personnes craignent de donner trop de fibres aux tout-petits, mais ce qui compte réellement, c'est la qualité des fibres absorbées (voir page 49). Oui, cela vous fera plus de couches à changer, mais il n'est jamais trop tôt pour bien faire, et un tas de couches sales vaut mieux qu'une constipation, une colite, une diverticulite ou même un cancer de l'intestin plus tard dans la vie !

UN SUJET QU'IL FAUT BIEN ABORDER

La couleur et la consistance des selles ne sont pas le sujet de conversation le plus plaisant. Mais dès que nous avons des enfants, nous sommes prêts à discuter des moindres détails.

Dans le film *Le Dernier Empereur*, qui raconte l'enfance et la vie de l'empereur de Chine Pu Yi, il y a une scène merveilleuse où le chef des eunuques examine attentivement les selles de l'empereur, alors bébé, afin de savoir quelle est sa santé et quel sera son menu de la journée. Je ne vous demande pas d'aller jusque-là, mais l'aspect des selles de votre enfant peut vous en dire long. Qu'est-ce qui est considéré comme normal, que ce soit pour la couleur, la consistance ou la fréquence ?

Le méconium Il s'agit des matières que les nouveau-nés évacuent après un ou deux jours de vie. Elles sont d'un brun noirâtre qui n'a rien à voir avec les selles futures. Le premier lait, le colostrum, facilite son élimination.

Au sein Les selles sont jaunes et molles. C'est normal. Elles ne dégagent aucune odeur particulière. Vous devez changer votre enfant jusqu'à cinq fois par jour.

Au biberon Les selles sont plus foncées et plus denses que celle d'un nourrisson au sein. Elles sentent souvent assez fort, car la flore bactérienne est différente dans le côlon du bébé nourri au biberon. Les laits artificiels les plus digestes ne sont assimilés qu'à 86 %, contre 96 % pour le lait maternel.

Après le sevrage Les selles d'un enfant sevré varient du marron clair au marron foncé, selon ce qu'il a mangé. Une teinte blanchâtre ou noirâtre n'est pas normale et doit vous conduire à interroger votre médecin. Au moment de l'introduction d'aliments en petits morceaux et non plus en purée, vous trouverez peut-être dans la couche de votre bébé des fragments non digérés. C'est normal, car il faut que votre enfant apprenne à mâcher correctement et que ses enzymes accomplissent le travail que ses dents ne font pas. Les aliments les plus concernés sont les agrumes, les raisins secs, les haricots et le maïs en grains, ainsi que les céréales complètes.

C'est grâce au péristaltisme que les matières progressent dans le tube digestif. L'organisme est conçu pour que ce phénomène ait lieu au moment où l'estomac reçoit un nouveau repas. En conséquence, l'enfant est susceptible d'évacuer une selle juste après avoir mangé. Le nombre de selles idéal est de deux à trois par jour, mais cela n'a lieu que si l'enfant mange assez de fibres. On considère souvent qu'une par jour est suffisante. Je ne suis pas de cet avis : les intestins réabsorbent très efficacement l'eau, mais plus les déchets stagnent dans le côlon, plus il y a de risque que des substances toxiques passent dans l'organisme au lieu d'être éliminées.

Pour savoir comment agir en cas de diarrhée ou de constipation, voir page 124.

L'ÉTONNANT CERVEAU DE VOTRE ENFANT

Même les parents les plus sereins nourrissent l'espoir secret que leur progéniture réalise tout son potentiel intellectuel et créatif. Nous avons beau essayer de nous retenir, nous passons beaucoup de temps à comparer les facultés de notre petit ange à celles des enfants de nos amis : à quel âge a-t-il su se retourner, saisir un jouet, reconnaître un visage ? Observer son développement est la plus riche des expériences.

Le cerveau de votre enfant est doté de 100 milliards de cellules, pas moins ! Celles-ci atteignent leurs capacités maximales quand elles sont disposées en réseaux interconnectés – c'est ce qu'on appelle l'arborisation. La plupart de ces connexions s'établissent après la naissance. Chaque nerf peut se diviser en 20 000 ramifications ; c'est ce qui fait que le cerveau humain, machine intégrée d'une remarquable complexité, est unique parmi tous ceux des créatures de la planète. Les deux premières années de vie sont capitales pour la réalisation de ce potentiel. En plus de donner à votre enfant toutes les chances et l'amour dont il a besoin pour développer ses facultés mentales, vous disposez d'un outil supplémentaire pour porter sa puissance intellectuelle au plus haut niveau : l'alimentation. C'est grâce à ces milliards de cellules cérébrales en activité que votre enfant entend, voit, goûte, éprouve des sentiments, touche, parle, marche, pense et écrit. Pour accomplir toutes ces tâches complexes, ses cellules ont besoin de carburant en abondance. Heureusement, elles sont secondées par 900 milliards d'autres cellules dont le rôle est de nourrir et de faire vivre le cerveau. À lui seul, ce petit kilo d'électronique de précision dévore 30 % de l'énergie disponible dans l'organisme.

UN PETIT MOT SUR LE ZINC

Le zinc est l'un des nutriments les plus essentiels à la santé mentale, car il est indispensable à la construction des liens neuronaux. En vérité, il est nécessaire à n'importe quel processus anabolisant, c'est-à-dire à la croissance. Les aliments riches en zinc sont les sardines, le poulet, la viande rouge, le concombre, les carottes, l'avoine, les baies, le riz brun, le sarrasin, les fruits à coque (noix, noisettes, amandes, châtaignes...) et les graines.

POPEYE AVAIT (PRESQUE) RAISON

Le fer est très important pour la croissance des cellules cérébrales au cours de cette première phase. Toutefois, celui que les épinards renferment en quantité n'est pas très assimilable. Pour en absorber, tournez-vous plutôt vers la viande rouge en petites quantités, les œufs, le riz brun, les champignons, les brocolis, le chou vert et les petits pois.

VIVE L'HUILE DE POISSON

Les poissons gras constituent une bonne source d'acides gras essentiels, étroitement impliqués dans la construction du potentiel cérébral. Le cerveau est composé à 60 % de lipides, et le type de matières grasses ingérées par votre enfant affecte directement la qualité des matériaux de construction de son cerveau. Les principaux poissons gras sont le maquereau, le saumon, la sardine, le thon, le pilchard et le requin.

MANGEZ DU POTASSIUM

Les fruits sont riches en potassium, nécessaire au bon fonctionnement du cerveau. Une demi-banane renferme la ration journalière de potassium de votre bébé. Citons aussi le seigle, le maïs, les lentilles, les pois, la mélasse et la pastèque.

TENEZ LES POISONS À L'ÉCART

Vous devez prendre des mesures pour éviter les substances les plus toxiques présentes dans l'en-vironnement. Le plomb est particulièrement redoutable, car c'est une neurotoxine qui empoi-sonne littéralement le système nerveux. Heureu-sement, si vous suivez mes conseils concernant le zinc, vous avez déjà réduit votre absorption de plomb, car ces deux éléments s'opposent (voir page 95). En plus des métaux lourds (plomb, cad-mium contenu dans les cigarettes, cuivre en excès et mercure), de nombreux produits chi-miques ont un effet sur le système nerveux. On en compte environ 60 000 dans notre environne-ment, dont 3 000 se retrouvent dans notre assiette. Le mieux à faire, c'est de les éviter chaque fois que c'est possible. Essayez d'acheter des aliments biologiques et de ne pas abuser des produits chimiques ménagers. Un régime riche en vitamine C (fruits frais), en calcium (graines souterraines) et en pectine (pomme) aide l'orga-nisme à se débarrasser des résidus qui s'y accu-mulent. Manger une pomme par jour est une excellente prévention (voir page 76).

LE SYSTÈME IMMUNITAIRE

On peut comparer le système immunitaire à une armée chargée de défendre votre enfant contre toute une série d'envahisseurs : virus, bactéries, levures, protéines exogènes telles que les molécules d'aliments non digérées, parasites, produits chimiques et radicaux libres.

Cette armée est sans cesse en patrouille ; elle identifie les corps étrangers, leur appose une étiquette, appelle ses troupes à l'attaque puis se débarrasse des débris après la victoire. Les signes d'un bon fonctionnement du système immunitaire sont la capacité d'avoir de la fièvre (la chaleur tue les virus), l'inflammation passagère des plaies, et la production passagère de mucus afin de protéger les membranes et d'éliminer les déchets. D'autres signes, comme une diarrhée ou des vomissements passagers, témoignent d'une lutte contre des bactéries indésirables.

QUESTION D'ÉQUILIBRE

J'ai répété plusieurs fois l'adjectif « passager », car il est essentiel de bien saisir la différence entre une situation équilibrée et un état alarmant. La température d'un bébé évolue très vite, mais une fièvre élevée et persistante doit vous inquiéter ; une éruption ou une inflammation qui s'installent doivent être traitées ; une diarrhée qui s'éternise est dangereuse et peut mener rapidement à une déshydratation ; il faut soigner une respiration sifflante causée non par une rhino-pharyngite mais par un asthme. Vous trouverez page 122 la solution à certains problèmes. L'important, c'est de s'inquiéter à bon escient. Vous serez le gardien de la santé de votre enfant si vous savez reconnaître ce qui est normal de ce qui échappe à tout contrôle.

On a parfois l'impression que tous les enfants ont en permanence une rhino-pharyngite et le nez qui coule ; je vous rappelle que ces affections jouent un rôle important dans la construction de leur immunité. Le nouveau-né est comme une feuille blanche. Il doit renforcer son immunité « à la dure », c'est-à-dire en attrapant des rhumes, en tombant malade, en entrant en contact avec des bactéries. Pour lui, tout commence quand il prend le sein, car le lait de sa mère lui fournit de nombreux anticorps, ainsi qu'une dose de « bonnes » bactéries destinées à son tube digestif.

Quand l'enfant commence à aller à l'école, il attrape en moyenne un rhume tous les quinze jours. 40 % des rhumes sont causés par 95 virus, et de nombreux autres microbes sont responsables du reste. Arrivé à l'âge adulte, l'organisme y est bien moins sensible, car une certaine immunité contre ces types de virus a été établie. Voilà une maigre consolation pour le parent qui soigne la énième infection de son enfant.

Le chapitre « Une bonne immunité pour la vie » (voir page 116) vous offre quelques suggestions pour aider votre petit à fortifier son système immunitaire.

LES ALLERGIES

À proprement parler, il existe deux types d'allergies. Les premières, les vraies allergies, mobilisent le système immunitaire et causent des réactions à certains agents déclenchants tels que les arachides, les coquillages ou les fraises. Les symptômes en sont par exemple l'asthme, le rhume des foins, l'urticaire, l'eczéma et, plus grave, le choc anaphylactique.

Les autres allergies sont plutôt des réactions à évolution lente, qui n'impliquent pas le système immunitaire (dans l'état actuel des connaissances). On entre là dans le domaine plus flou des intolérances et des sensibilités alimentaires. Pour en savoir plus sur les allergies, reportez-vous aux pages 96 à 99.

LES VACCINATIONS

Vacciner ou pas ? Le débat fait rage, et je n'ai pas l'intention de traiter en détail ce sujet ici, car il existe de bien meilleures sources d'information. Je me bornerai à vous recommander de renforcer le système immunitaire de votre enfant par la voie alimentaire (voir page 116), une fois que vous aurez pris la décision de le faire vacciner ou non, mais seulement après vous être documenté vous-même et en avoir parlé à votre médecin.

Je crois qu'une partie des arguments en faveur des vaccins est fondée sur des statistiques qu'il conviendrait d'examiner d'un peu plus près. Je le répète, les statistiques ne sont que des moyennes, et la moyenne de la population se nourrit mal (voir page 60). Le système immunitaire d'une personne mal nourrie ne fonctionne pas à son maximum, ce qui fragilise cette personne face aux effets les plus néfastes de la maladie et du vaccin. Si vous décidez de faire vacciner votre enfant (en plus des vaccins obligatoires en France), veillez à ce que son alimentation, et donc son immunité, soit parfaite. Et si vous ne voulez pas que votre enfant soit vacciné, faites… exactement la même chose ; ainsi, s'il contracte une maladie (ce qui signifie qu'il s'immunisera contre elle à cette occasion), les symptômes en seront plus tolérables.

2

AU SEIN OU AU BIBERON ?

La nature nous fournit un aliment tout emballé, parfaitement équilibré, stérile, toujours à la bonne température et facile à transporter, idéal pour nos enfants pendant la première partie de leur existence. Pourquoi croyons-nous pouvoir faire mieux ? Je vous dirai comment vous y prendre si, par choix ou par nécessité, vous décidez de donner le biberon, soit dès la naissance, soit après un certain temps. Mais, en tant que nutritionniste, mon devoir est d'affirmer haut et fort que l'allaitement maternel est préférable.

LE SEIN, C'EST PLUS SAIN

Dans les années 30, la plupart des femmes allaitaient leurs enfants. En 1975, elles n'étaient plus que 50 % à le faire. Cette chute a beaucoup inquiété les autorités, qui ont lancé des campagnes pour encourager les femmes à donner le sein. Le succès se fait attendre, puisque aujourd'hui seuls 43 % des bébés sont allaités pendant leur séjour à la maternité, et 10 à 15 % le sont au-delà de la troisième semaine.

LES AVANTAGES DU LAIT MATERNEL

Le lait maternel contient environ 300 substances que même les meilleurs laits industriels ne contiennent qu'en quantité faible ou nulle.

Le colostrum C'est le liquide sécrété les trois premiers jours. Il est riche en protéines, en sels minéraux et en vitamines A, E et B12. Aucun lait maternisé ne peut le remplacer totalement.

Les anticorps Le lait maternel et surtout le colostrum contiennent des anticorps qui vont tapisser le tube digestif du nourrisson et empêcher l'absorption des organismes exogènes et des allergènes. Parmi ces substances protectrices, on compte l'immunoglobuline A, la lactoferrine, des lysosomes et des macrophages maternels. Toutes sont antiallergéniques et leur effet ne peut être reproduit par un lait industriel.

La paroi intestinale On pense que le lait maternel aide la paroi intestinale du nourrisson à atteindre sa maturité. Il contient de la cortisone et des facteurs de croissance épidermique et nerveuse, qui semblent encourager la muqueuse intestinale à se protéger contre les protéines exogènes plus vite qu'elle ne le fait avec des laits maternisés.

Les acides gras essentiels En plus de renforcer l'immunité, ils sont indispensables au développement du cerveau et des systèmes nerveux et vasculaire. Ils se trouvent en très faible quantité dans les poudres à base de lait de vache. Des recherches sont en cours pour essayer de les y ajouter, mais la principale difficulté est qu'ils ne se conservent pas. On ne dira jamais assez combien ils sont vitaux. La meilleure preuve nous en est fournie par la nature : de tous les humains, seules les femmes allaitantes sont capables d'en fabriquer, et leur lait en contient juste la bonne quantité. Les bébés au biberon manquent souvent de DHA (acide docosahexaénoïque) et d'AA (acide arachadonique), qui jouent tous deux un rôle dans le développement du système nerveux.

L'équilibre minéral La composition minérale du lait maternel est très différente de celle du lait maternisé. À titre d'exemple, le manganèse du lait maternel est vingt fois plus assimilable que celui du lait industriel. De même, grâce aux hormones présentes dans le lait de femme, le zinc et le fer qu'il contient sont plus assimilables. De même, le calcium contenu dans les poudres est moins facilement absorbé à cause d'un taux élevé de graisses saturées.

Les vitamines Là aussi, l'équilibre est différent. Le lait maternel est riche en vitamine D, sous la forme qui prévient le mieux le rachitisme (il est stupéfiant de constater que cette maladie reprend du terrain, même à notre époque d'abondance alimentaire). Et aucun lait en poudre ne contient plus de vitamine C que le lait maternel.

Les enzymes Seul le lait de femme contient les enzymes lacto-digestives adéquates.

L'équilibre bactériologique Il est radicalement différent si l'on compare le lait de femme et le lait maternisé. Les bébés nourris au sein trouvent dans le lait de leur mère le facteur *bifidus*, qui n'existe pas ailleurs. Cette bactérie protège contre l'agression d'autres bactéries et établit une flore intestinale équilibrée.

LES PREMIERS JOURS D'ALLAITEMENT

L'allaitement ne s'établit pas toujours facilement ni automatiquement pour toutes les mères et tous les bébés. Voici quelques conseils qui pourront contribuer à votre succès.

L'idéal est de mettre l'enfant au sein dès la naissance. C'est en effet à ce moment que l'instinct de succion est le plus fort. Le colostrum produit pendant les trois premiers jours est assez peu abondant et le bébé doit persévérer pour téter pendant cette période maigre. Il est alors tentant de lui donner un biberon, car il semble peu nourri par la tétée. Mais ce premier lait est vital pour la construction de son immunité ; lui offrir autre chose peut le détourner de son apprentissage.

Si votre bébé dort beaucoup, n'ayez pas peur de le réveiller pour qu'il tète. Il est important d'établir une bonne lactation, et il se rendormira tout simplement après. Au début, au lieu de vouloir régler ses horaires, nourrissez-le à la demande afin qu'il tète le plus possible. Si vous avez l'intention de lui donner un ou deux biberons par jour tout en allaitant, attendez la fin des six premières semaines. Ainsi, l'allaitement s'établira solidement et deviendra la première source de nourriture. La production de lait dépend directement du temps que l'enfant passe à téter, c'est pourquoi cette première période est si importante.

Certains parents s'inquiètent de ne pas savoir quelle quantité de lait leur enfant a bu au sein. Je vous conseille de ne pas vous en faire tant que votre bébé grossit bien. Votre médecin est là pour le vérifier.

Si vous avez des difficultés pour établir l'allaitement, prenez l'avis de votre médecin ou appelez une association spécialisée (voir page 186).

L'ALLAITEMENT MIXTE

Si malgré tout vous devez donner des biberons, voici comment gérer au mieux cette situation. Bien entendu, vous pouvez tirer votre lait pour qu'il soit donné au bébé en votre absence. C'est une opération qui semble plus facile pour certaines femmes que pour d'autres, et qui demande détermination et persévérance. Les animatrices des associations vous aideront si vous choisissez cette option (voir page 186).

Vous pouvez aussi alterner lait maternel et lait maternisé. Utilisez ce dernier quand vous ne pouvez pas faire autrement et mettez l'enfant au sein en rentrant du travail, par exemple. Il vous faudra peut-être tirer un peu de lait dans la journée si vos seins sont trop pleins. À la longue, ce problème se résorbera car la production baissera au rythme de la demande. Les premiers temps, la descente du lait vers le mamelon se déclenche de plusieurs façons, par exemple à la vue d'un bébé ou au son de ses pleurs, mais à la longue, alors que la lactation devient plus régulière, seule la succion de l'enfant parvient à la provoquer.

Si après avoir cessé de donner le sein, vous vous rendez compte que le lait industriel ne convient pas à votre enfant, vous pourrez peut-être reprendre l'allaitement, car de nombreuses femmes continuent à produire du lait après le sevrage. Vous aurez alors besoin de la coopération de votre enfant, car il ne voudra peut-être plus fournir l'effort de téter assez fort pour que le lait se remette à couler facilement.

Si vous optez pour le biberon, lisez « Comment compenser les carences du lait industriel », page 33, afin de pallier au mieux les inconvénients de cette méthode.

VOTRE ALIMENTATION PENDANT L'ALLAITEMENT

L'allaitement maternel comporte un avantage pour la mère : il l'aide à retrouver plus vite la ligne. La prolactine, hormone responsable de la lactation, déclenche des contractions qui aident l'utérus à reprendre sa taille normale. De plus, le volume de lait produit est tel (environ 600 ml par jour) que le corps brûle de grandes quantités d'énergie, et, à condition de manger comme il faut, vous aurez donc moins de mal à perdre les quelques kilos qui vous restent de la grossesse. Dans une certaine mesure, l'allaitement est également un moyen de contraception, car il inhibe la fertilité dans les premiers temps. Mais il n'est pas question ne s'en remettre uniquement à ce moyen pour éviter une nouvelle grossesse.

Le seul argument que l'on puisse opposer à l'allaitement maternel, c'est que la quantité ou la qualité du lait peuvent être insuffisantes lorsque la mère n'est pas aussi bien nourrie qu'elle le devrait. Des recherches américaines ont montré que de nombreuses mères appartenant aux classes moyennes et possédant un bon niveau d'instruction souffraient de malnutrition. Le lait peut s'appauvrir au point que l'enfant ne grossisse plus. Voici les principaux points à surveiller.

• Si vous recevez moins de nutriments qu'il ne vous en faut, votre lait peut être carencé, surtout en acides gras essentiels et en zinc. En adoptant un régime riche en aliments sains et pauvre en stimulants pendant la grossesse et l'allaitement, vous serez sûre que votre lait aura une composition idéale (voir ci-contre pour plus de détails).

• L'allaitement apporte de grandes quantités de nutriments à votre bébé, mais peut vous dépouiller de vos propres réserves. En particulier, pendant les huit premières semaines, d'énormes quantités de zinc sont transmises au bébé qui en a besoin pour son impressionnante poussée de croissance. Vos propres acides gras essentiels passent également dans votre lait, et c'est souvent à ce moment que les mères constatent que leur peau est moins belle ou qu'elles sont atteintes d'eczéma, signes d'insuffisance de ces nutriments.

• Allaiter nécessite de boire beaucoup d'eau, à la fois pour produire le lait lui-même et pour nourrir le processus enzymatique de lactation. Beaucoup de femmes se plaignent de constipation et se dessèchent littéralement. Pour résoudre ce problème, buvez 2 à 3 litres d'eau par jour et évitez les boissons déshydratantes telles que café, thé en quantité et alcool.

• Votre inquiétude est grande quand votre bébé est atteint de coliques, d'eczéma ou d'autres troubles. Il est important de dépister d'éventuelles allergies alimentaires transmises par le lait maternel. Les principaux coupables sont le froment, c'est-à-dire le pain, les biscuits, les tartes et les pâtes, ainsi que les produits laitiers (voir page 99). On pense aujourd'hui que l'allergie aux arachides chez l'enfant, qui a parfois des conséquences graves (voir page 96), pourrait être liée à la consommation d'arachides par la mère qui allaite.

• À mon avis, il est déloyal de soumettre votre bébé à une prise excessive de café, de thé ou d'alcool par l'intermédiaire de votre lait. Soyez modérée tant que vous allaitez. J'ai connu une femme qui affirmait qu'un ou deux verres de vin avant la tétée plongeaient son bébé dans un profond sommeil ! Cela vous semble peut-être tentant, mais je vous le déconseille en raison des effets néfastes que ces boissons ont sur le système nerveux de l'enfant. Certains nourrissons ont des gaz quand leur lait contient trop d'oignons ou d'ail. Le lait prend le goût des aliments très épicés que vous mangez. Je suis sûre que c'est pour cela que mon petit garçon aime tant le curry !

Voici un programme alimentaire de qualité qui devrait convenir à la plupart des femmes qui allaitent :

1 Consommez beaucoup de fruits (quatre par jour) et de légumes frais (deux ou trois portions par jour).

2 Mangez des aliments riches en fibres : légumes secs (lentilles), légumes racines, légumes verts (haricots) et avoine. Réduisez le plus possible les sucres et les hydrates de carbone raffinés (voir page 48).

3 Buvez au moins 2 litres d'eau du robinet filtrée ou d'eau minérale par jour.

4 Entre les repas, grignotez des graines fraîches (tournesol et courge) et des fruits à coque tels que noix et amandes, qui contiennent des acides gras essentiels et du zinc. Mâchez bien pour faciliter la digestion.

5 Supprimez totalement le café : c'est un poison. On y trouve des alcaloïdes tels que la caféine, bien sûr, mais aussi de la théobromine et de la théophylline. Ne prenez pas plus de trois tasses de thé par jour, et buvez très peu d'alcool, trois ou quatre verres de vin par semaine.

6 Préférez les poissons gras et la viande blanche à la viande rouge.

7 Si vous pensez que votre enfant a réagi à un aliment de votre menu, supprimez cet aliment pendant six semaines pour voir si cela change quelque chose. En même temps, évitez tous les grands allergènes connus (voir page 97). Si vous éliminiez ces aliments un par un, ils pourraient masquer les symptômes les uns des autres et vous ne sauriez jamais lequel ou lesquels ont causé le problème.

8 Prenez un supplément vitaminique et minéral de bonne qualité. Il en existe de nombreuses marques spécialement formulées pour les femmes qui allaitent. Vous devez absorber chaque jour au moins 15 mg de zinc, 10 mg de fer, 250 mg de magnésium et 1 g de vitamine C. Si votre régime n'est pas assez riche en acides gras essentiels, prenez une cuillerée d'huile de lin première pression à froid tous les jours (voir page 77). Le prix est souvent en rapport avec la qualité, aussi ne lésinez pas. Je pense qu'une maman bien nourrie sera moins atteinte, voire épargnée, par la dépression postnatale.

9 Mieux vaut éviter de prendre de grandes quantités de vitamine B6 (plus de 50 mg par jour), et de ne pas abuser de la sauge, car ces deux produits peuvent inhiber la lactation.

10 L'allaitement consommant environ 500 calories par jour, les jeunes mères perdent parfois du poids. Mais ce n'est pas le moment de vous mettre au régime. Surveillez-vous, mais mangez correctement et votre poids se stabilisera certainement de lui-même.

11 Parmi les idées qui ont la vie dure, on trouve celle-ci : « Il faut boire du lait pour avoir du lait. » Sachez cependant que si vous suivez un régime sans produits laitiers parce que cela vous convient mieux, à vous et à votre bébé, vous ne risquez absolument pas de voir votre lait se tarir.

Produire du lait est un effort intensif qui demande beaucoup d'énergie. Comme cela vient s'ajouter aux nuits interrompues, vous aurez besoin de repos. Il est normal de vous sentir fatiguée. À condition de manger comme il faut, de prendre soin de vous et d'être en bonne santé, vous ne serez pas épuisée, mais vous aurez seulement envie de dormir un peu plus. Écoutez votre corps.

QUE METTRE DANS LE BIBERON?

Les nourrissons de moins de 1 an ne doivent boire que du lait maternel ou un lait en poudre spécialement formulé. Ne donnez jamais de lait de vache ordinaire, de lait de soja, de lait de chèvre ou de brebis à un nourrisson : ces produits ne sont pas adaptés à son estomac immature, qui ne peut les digérer. Le lait de vache ordinaire est trop pauvre en fer et en vitamine D, mais trop riche en caséine. Ce lait-là est fait pour les veaux et non pour les bébés. Métaboliser de telles quantités de protéines surchargerait le foie et les reins qui devraient respectivement fragmenter les acides aminés en excès et filtrer l'urée produite en surplus.

Si vous décidez de nourrir votre enfant au biberon, vous avez le choix entre plusieurs types de produits. Au moment de reconstituer le lait en poudre, suivez scrupuleusement les indications du fabricant et ne soyez pas tentée de préparer un lait plus concentré ou plus dilué. Évitez les marques qui contiennent du sucre ajouté, du glucose ou du sirop de maïs. Votre bébé n'en a nullement besoin.

LE LAIT MATERNISÉ

C'est le lait utilisé par le plus grand nombre de parents. Il en existe de nombreuses marques, vendues en grande surface ou en pharmacie. Il s'agit de lait de vache modifié de manière à approcher la composition du lait de femme : certains éléments sont retirés tandis que d'autres sont ajoutés. La caséine est en grande partie enlevée, de même qu'une grande part du calcium, trop dense pour le nourrisson. Mais certains des nutriments du lait maternel s'avèrent difficiles à ajouter à la poudre car ils ne se conservent pas. C'est surtout le cas des acides gras essentiels. Le lait Babybio, de Vitagermine, en contient; c'est aussi l'un des rares laits biologiques qui existent. Malheureusement, on y trouve aussi de la dextrinemaltose (voir page 92), mais s'il est important pour vous de choisir un produit biologique, en voici un. Pour savoir comment compenser les carences du lait industriel, voyez page 33.

LE LAIT DE SUITE

C'est un lait plus riche destiné aux bébés plus âgés ou plus voraces, qui offre davantage de calories.

Les fabricants l'enrichissent en fer, dont les enfants de plus de 6 mois ont grand besoin. Le lait de suite est moins digeste et ne doit pas être donné avant l'âge recommandé (généralement 4 mois).

LE LAIT DE SOJA

Quand un enfant doit suivre un régime dépourvu de produits laitiers, le choix du pédiatre se porte généralement sur le lait de soja. Il figure en assez bonne place sur la liste des aliments allergènes (voir page 97), aussi ne faut-il pas en abuser.

Le premier ingrédient porté sur l'emballage est le sirop de glucose, c'est-à-dire le sucre, qui peut provoquer des caries sur les petites dents en plein développement de votre bébé. De plus, certaines marques sont susceptibles d'être contaminées par de l'aluminium. Le lait de soja contient beaucoup de phyto-œstrogènes, ce qui est peut-être un avantage, car on pense qu'ils protègent contre les xéno-œstrogènes que renferme notre environnement et qui sont, eux, néfastes. Ceci est valable pour les garçons comme pour les filles, et le mot « œstrogènes », qui désigne des hormones surtout féminines, ne doit pas vous alarmer.

LE LAIT DE CHÈVRE

Le lait maternisé à base de lait de chèvre est mieux toléré que les équivalents au lait de vache. La saveur forte du lait étant éliminée au cours de la fabrication, les jeunes palais délicats l'acceptent en général bien. Par rapport au lait de vache, le lait de chèvre se scinde en particules plus petites, que le système digestif a moins de mal à assimiler. De nombreux nourrissons intolérants au lait de vache supportent bien le lait de chèvre, car celui-ci est exempt de gammacaséine.

LE LAIT HYPOALLERGÉNIQUE

S'il s'avère que votre enfant a une forte intolérance au lait de vache ou de soja, votre médecin vous prescrira un lait hypoallergénique. Ces produits ne sont conseillés que si l'enfant a un problème exceptionnel et réagit fortement aux autres laits : diarrhée aiguë, retard de croissance ou mucoviscidose.

PRATIQUEZ L'ALTERNANCE

Je pars toujours du principe que, de même qu'il est conseillé de manger une grande variété d'aliments (voir page 61), il est également bon, lorsqu'on n'allaite pas au sein, d'alterner plusieurs marques de lait maternisé. La raison en est que si votre enfant est sujet aux allergies, vous réduirez ainsi le risque de les voir se développer, tout en profitant des avantages nutritionnels de chacun des laits disponibles et en réduisant les inconvénients de l'allaitement artificiel. Tous les laits maternisés doivent répondre à certaines normes nutritionnelles, et l'alternance est donc sans danger dès la naissance. Je vous suggère de changer de lait de manière quotidienne : un jour au lait de chèvre, un jour au lait de soja, un jour au lait de vache.

Ce qui est dangereux, c'est d'employer autre chose qu'un lait maternisé spécial pour nourrissons avant l'âge de 1 an. Passé le premier anniversaire, vous continuerez à utiliser du lait maternisé ou bien vous opterez pour des produits laitiers donnés avec modération, par exemple du lait de riz ou d'avoine, du lait de chèvre pur ou du lait de soja, ou même du lait de vache (mais je ne le recommande pas en quantité – voir page 66).

Quelle que soit votre décision, je pense que l'alternance est le meilleur choix possible.

LE BIBERON, POURQUOI?

Certains parents n'ont réellement pas d'autre choix que de donner le biberon. À ceux qui peuvent choisir, je recommande de ne pas abandonner l'allaitement maternel trop facilement. Voici quelques-unes des raisons qui peuvent conduire à nourrir son enfant au biberon.

En cas d'adoption C'est une évidence, il n'y a pas d'autre solution que le biberon. Si vous regrettez de ne pouvoir donner ce qu'il y a de mieux à votre bébé, ne vous inquiétez pas, vous allez compenser en suivant les conseils de la page suivante. Et de toute manière, vous lui donnez tout de même le meilleur départ dans tous les autres domaines : rien n'est plus important que l'amour que vous lui prodiguez.

Vous n'avez pas assez de lait Ce cas est rare dès lors que la mère est bien nourrie grâce à un régime riche en aliments sains et pauvre en stimulants. (Voir «Votre alimentation pendant l'allaitement», page 28.)

Vous reprenez le travail Vous n'êtes pas pour autant condamnée à sevrer votre enfant, car vous pourrez lui donner le sein le matin avant de partir et le soir en rentrant du travail. Voyez page 27 mes conseils sur l'allaitement mixte.

Vous suivez un traitement médical Quand la mère doit prendre des médicaments, quels qu'ils soient, le médecin lui conseille parfois de cesser d'allaiter, de peur que les produits passent dans le lait. C'est le plus souvent une sage décision. Mais il arrive que le traitement n'oblige pas à arrêter l'allaitement. Dans le cas où ce traitement entraînerait un dérèglement intestinal chez l'enfant, vous pouvez améliorer la situation en lui donnant une dose d'ultra-levure, qui l'aidera à rééquilibrer sa flore intestinale (en pharmacie).

Allaiter choque votre pudeur Eh oui, même à notre époque, cela arrive ! Mais il est possible d'allaiter discrètement, ou d'emporter un biberon de lait maternel ou artificiel dans les lieux publics, tout en donnant le sein chez vous, en privé.

Vous avez des crevasses C'est un problème courant et si vos mamelons sont très douloureux, irrités ou crevassés, il vous faudra certainement une grande détermination pour continuer à donner le sein. La première chose à faire, c'est de vérifier que le bébé prend bien toute l'aréole dans la bouche. Vous pensez peut-être que cela se fait tout naturellement, mais il s'agit pourtant d'une des principales causes d'échec de l'allaitement. Si vous avez besoin de conseils, appelez la maternité où vous avez accouché, votre médecin ou encore l'une des organisations citées page 186. Laissez vos mamelons cicatriser en faisant téter l'enfant d'un seul côté pendant quelques jours ou en les protégeant avec un bout de sein artificiel (en pharmacie). Les mamelons durcissent peu à peu et le problème finit par disparaître, mais cela ne va pas sans une certaine souffrance pour la mère.

Ce n'est pas pratique Certaines personnes pensent qu'il est plus commode de préparer un biberon que d'ouvrir son corsage. En ce qui me concerne, je ne vois rien de plus pratique que l'allaitement maternel.

Vous craignez pour votre poitrine J'ai un jour entendu cette phrase désabusée : «J'ai donné mon ventre à mes enfants, je ne vais pas leur donner mes seins en plus !» Vous devinez mon opinion sur ce commentaire. Je vous signale que si vous allaitez couchée sur le côté dans votre lit, ce qui est plus reposant pour vous et votre bébé, les tissus de vos seins subiront moins de tensions et se déformeront peu. Aujourd'hui, un nouveau problème surgit : celui des femmes qui, ayant eu des implants dans leur jeunesse, éprouvent des difficultés à allaiter. Certaines d'entre elles parviennent à pratiquer un allaitement mixte, mais beaucoup sont obligées de nourrir leur enfant uniquement au biberon.

Vous êtes déprimée Si l'allaitement maternel vous révulse tant que cela risque de compromettre votre relation avec votre enfant, en cas de dépression postnatale par exemple, suivez vos instincts personnels.

En me prononçant clairement en faveur de l'allaitement maternel, j'ai pris le risque de m'aliéner les parents qui ont déjà décidé que le biberon leur convenait mieux. Je crois qu'il faut savoir s'engager sur certains sujets, et celui-ci en est un.

Cela étant dit, je peux vous confier que j'ai moi-même envisagé de donner le biberon, car l'un de mes seins a été traité par radiothérapie à la suite d'un cancer il y a quelques années, et je croyais impossible de produire assez de lait avec un seul sein. Cette inquiétude était sans fondement, comme j'aurais pu le deviner si j'avais pensé aux mères de jumeaux qui, avec un seul sein par enfant, ont le plus souvent assez de lait pour nourrir deux bébés.

Comme je l'ai déjà dit, pour certaines d'entre vous, la question ne se pose pas : ce sera le biberon. C'est à vous que j'adresse les conseils ci-dessous, pour que votre enfant soit nourri le mieux possible. Cette liste assez longue ne doit pas vous effrayer. Si vous ne pensez pas pouvoir suivre mes recommandations à la lettre, faites ce que vous pouvez. Il n'est pas toujours drôle de mesurer des gouttes et des poudres aux petites heures de la nuit, alors que votre bébé hurle de faim. Tous ces conseils sont valables dès la naissance.

1 Ajoutez les acides gras essentiels qui font défaut dans les laits industriels. Quand le biberon légèrement tiédi est prêt, versez-y une cuillerée à café d'huile de lin alimentaire première pression à froid (voir page 77).
Il y a encore mieux que l'huile de lin : les mélanges d'huiles spécialement formulés pour offrir un équilibre idéal aux humains. Ils sont en vente dans les magasins de produits naturels et diététiques. Vous pouvez également percer une gélule d'huile d'onagre et en étaler le contenu sur la peau de votre bébé, à l'intérieur des cuisses et des bras : elle est bien absorbée par voie cutanée et réussit très bien aux enfants qui ont des petits problèmes de peau.

2 Achetez des enzymes lacto-digestives, qui faciliteront la fragmentation des sucres contenus dans le lait de chèvre ou de vache. Versez deux gouttes de lactase liquide dans le lait froid et laisser agir quelques heures. Il faut le faire pour chaque biberon. Il est inutile d'ajouter des enzymes au lait de soja, car il ne contient pas de lactose.

3 Une fois par jour, ajoutez une goutte d'oligoéléments liquides à l'un des biberons. Cela fournira à votre bébé le sélénium et le chrome qui sont absents dans le lait industriel.

4 Une fois par jour, ajoutez 25 mg de vitamine C (ascorbate de magnésium en poudre) au lait tiédi, afin de compenser la faible teneur en vitamine C du lait industriel par rapport au lait maternel. Une forte prise de vitamine C peut causer un dérangement intestinal, mais à la dose que je vous conseille, il ne devrait pas y avoir de problème. Si votre bébé a la diarrhée, réduisez le dosage.

5 Les bébés au biberon ont besoin de plus d'eau que ceux nourris au sein. Je vous suggère de proposer de l'eau bouillie refroidie deux fois par jour dès la 10ᵉ semaine.
Après tous ces conseils, n'oubliez pas que le mieux est l'ennemi du bien : ne vous laissez jamais aller à doubler ou à tripler les doses.

Le seul véritable avantage de l'alimentation au biberon, c'est que le père peut réellement s'y impliquer.

3

UN SEVRAGE EN DOUCEUR

De nombreux parents sont impatients de sevrer leur enfant, tant ils se sentent fiers de ses progrès rapides. Toutefois, un nourrisson est tout à fait incapable de digérer autre chose que du lait avant l'âge de 3 mois. C'est vers 6 mois qu'il faut commencer l'alimentation solide, car à cet âge l'enfant a des besoins caloriques accrus que le lait seul ne peut plus satisfaire. Sevrez votre enfant entre 3 et 6 mois, de préférence plus près de 6 mois (voire plus tard si vous en avez envie). De toute façon, si votre bébé a faim, il saura vous le faire comprendre. S'il paraît frustré après la tétée ou mâchonne tout ce qu'il trouve, il vous adresse peut-être un signe.

LES PREMIERS REPAS : COMMENT NE PAS SE TROMPER

Manger au lieu de boire est une sensation nouvelle pour l'enfant, qui ne fera peut-être que goûter ses aliments au début. Il comprendra bientôt l'intérêt de cette nouvelle activité, sans qu'il soit besoin de l'encourager. Soyez patient, car pour commencer il en mettra plus sur son bavoir que dans sa bouche. Chaque goût nouveau doit être découvert. Si votre bébé rejette certaines saveurs, ne les proposez plus pendant quelques semaines. Et ne soyez pas étonné si un aliment qu'il adorait naguère lui déplaît soudain. Vous tenterez de le réintroduire plus tard. Le goût change ; donnez d'abord des aliments non mélangés, et, au fil du temps, combinez-les pour offrir plus de variété. Les premiers repas doivent être en purée ou finement écrasés, sans morceaux.

Les quatre premiers mois d'alimentation solide se dérouleront à peu près comme ceci (voir aussi page 98 pour une liste détaillée) :

Légumes   Au début, insistez sur les légumes. Les légumes sucrés sont en général bien acceptés. À ce stade, je vous conseille d'éviter les solanacées, famille de végétaux comprenant les pommes de terre, les tomates, les poivrons et les aubergines. Ils contiennent en effet des substances toxiques auxquelles les petits peuvent être sensibles. Mais restons positifs : vous pouvez donner des carottes, des épinards, des patates douces, des brocolis, des champignons, des choux de Bruxelles, du potiron, des poireaux, de la courge (variété d'hiver butternut), des panais et des rutabagas.

Fruits   La variété est telle qu'il est impossible d'en donner la liste complète. Ils sont facilement acceptés, car les bébés apprécient leur saveur naturellement douce. Ils se mélangent agréablement aux légumes pour donner un goût sucré-salé. Choisissez des fruits qui s'écrasent facilement et évitez les variétés à pépins (grenade, kiwi ou framboise). Certains parents préfèrent introduire les légumes avant les fruits de peur que leur enfant refuse tout ce qui n'est pas sucré. À mon avis, cela n'a pas grande importance ; voyez

donc ce qu'aime votre bébé. De peur que les fruits ne fermentent dans l'estomac alors que les autres aliments sont digérés, on conseille parfois de les servir séparément. Si le problème existe effectivement chez certains adultes, je suis convaincue que cela ne concerne presque jamais les enfants. Quoi qu'il en soit, cette méthode pose de gros problèmes d'organisation. Si votre enfant a des gaz, essayez-la tout de même. La plupart des fruits se donnent crus dès l'âge de 4 à 5 mois, les poires et les papayes bien mûres étant idéales. À la différence des légumes, ils n'ont pas besoin d'être cuits et représentent une excellente source de nutrition. Pour les tout-petits, pelez les fruits avant de les passer au mixeur ou de les tailler en bâtonnets à sucer, afin d'éviter que l'enfant ne s'étouffe avec la peau.

Légumes secs   Vous pouvez les proposer vers 5 ou 6 mois, pour rassasier un enfant vorace. Pensez aussi aux céréales inhabituelles telles que millet, quinoa, sarrasin, qui peuvent être introduites à cet âge en raison de leur faible pouvoir allergisant et de leur bonne teneur en protéines et en amidons. Les légumes secs doivent être très cuits et bien mixés, sinon ils seront plus difficiles à digérer. Pour les bébés, les lentilles corail sont les plus digestes. Tous les légumes secs (lentilles, pois chiches, haricots blancs, flageolets…) se marient bien à d'autres ingrédients sucrés ou salés, ce qui permet de créer une infinité de plats.

Riz brun, quinoa et millet   Les flocons de riz sont un grand classique de l'alimentation enfantine ; veillez à acheter un produit biologique sans agents de texture. Toutefois, je préfère employer du riz brun préparé à la maison, du quinoa ou du millet (voir index des recettes). Les autres céréales (orge, maïs, avoine et froment) doivent être laissées de côté pour l'instant, car elles sont très allergisantes.

Volaille, viande et poisson   Introduisez-les en petites quantités, de préférence en évitant le plus possible la viande rouge pour privilégier le poisson (surtout le poisson gras), la volaille et le gibier.

QUELLES QUANTITÉS?

La première semaine, votre bébé ne pourra absorber qu'une ou deux cuillerées à café de purée. Il est possible qu'il préfère sucer sa nourriture sur votre doigt. Ensuite, vous mesurerez peut-être les quantités en cubes, si vous préparez et congelez des purées dans des bacs à glaçons (voir page 40). Votre enfant prendra peu à peu des quantités croissantes. Laissez-le vous guider et soyez patient; les repas doivent être détendus et votre bébé saura quand il sera rassasié. S'il semble vouloir essayer un nouveau goût, offrez-lui un second plat, par exemple un fruit après un légume.

DES PURÉES AUX MORCEAUX

Tout d'abord, vous ne servirez que des purées assez liquides. Un bébé n'est pas capable de manger des morceaux : assurez-vous qu'il ne reste aucune particule solide dans l'assiette. Vers 5 ou 6 mois, l'enfant aime exercer ses gencives sur tout ce qu'il trouve, mais sa nourriture doit rester fluide. Si vous le voulez, donnez-lui des bâtonnets de carotte, de concombre ou de pomme pour qu'il se fasse les dents, mais il est peut-être préférable de s'en tenir aux anneaux et hochets de dentition. Les premières dents font en général leur apparition vers 6 mois, ce qui vous permet de laisser quelques morceaux fondants dans la purée. Les aliments qui nécessitent une mastication aident la mâchoire à se développer et éviteraient que les dents se chevauchent plus tard. Ne laissez jamais un bébé seul avec sa nourriture, il pourrait s'étouffer.

QUAND FAUT-IL CESSER DE DONNER DU LAIT?

Si vous n'allaitez pas, vous devez donner du lait maternisé au moins jusqu'à 1 an. À mon avis, d'un point de vue nutritionnel, il faudrait pouvoir continuer l'allaitement maternel jusqu'à

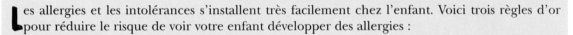

ÉVITER LES ALLERGIES AU MOMENT DU SEVRAGE

Les allergies et les intolérances s'installent très facilement chez l'enfant. Voici trois règles d'or pour réduire le risque de voir votre enfant développer des allergies :

1 Suivez l'ordre d'introduction des aliments donné page 98.

2 Introduisez un seul aliment à la fois et tenez un carnet de bord sur lequel vous noterez d'éventuelles réactions. Si vous pensez que votre enfant réagit à un aliment, supprimez-le pour une ou deux semaines, puis redonnez-le pour voir si la réaction se reproduit. Il est important de vous organiser. Si vous proposez trop d'aliments en même temps, les résultats seront confus et difficiles à interpréter. Si certains aliments causent une forte réaction allergique, telle que des difficultés respiratoires, un œdème des lèvres et du visage ou

tout autre symptôme suspect, consultez immédiatement votre médecin sans aucune hésitation.

3 Alternez les aliments le plus possible. De nombreuses allergies se développent à cause d'une exposition trop fréquente. Vous pouvez très bien donner un aliment à votre enfant pendant plusieurs mois avant de constater qu'il commence à présenter des troubles digestifs ou dermatologiques. Pour éviter cela, variez les menus. Par exemple, ne donnez pas tous les jours la même céréale au petit déjeuner : faites un jour de l'avoine, le lendemain du riz, le troisième jour du maïs et le quatrième un petit déjeuner cuisiné.

environ 2 ans, mais je sais bien que cela n'est pas réaliste pour la plupart des mères. Je crois que l'être humain est fait pour être sevré vers cet âge-là, car c'est à ce moment que diminue la capacité de l'enfant à digérer le lait.

Il est possible que votre enfant décide lui-même d'arrêter de téter. Même si cela s'avère souvent plus traumatisant pour la mère que pour lui, un enfant qui a décidé de se sevrer le fera de lui-même. Pour ma part, j'avais l'intention d'allaiter mon fils jusque dans sa deuxième année, mais vers 10 mois, et sans être tenté par des biberons, il a tout simplement cessé de téter et m'en informait en me mordillant lorsque je tentais de le persuader de continuer. Adieu la théorie !

La tradition prétend qu'un enfant ne saurait vivre uniquement d'aliments solides et aurait besoin de lait jusqu'à 2 ans. Les recommandations officielles affirment qu'il est sans danger de donner du lait de vache ordinaire après le premier anniversaire. Je préférerais voir nos enfants absorber une plus large gamme de nutriments tirée d'une plus grande variété d'aliments, et le lait occuper une position secondaire après cet âge, plutôt sous forme de lait maternel ou maternisé. Je le répète, c'est un enfant que vous élevez. Pour plus de renseignements sur le lait maternel et le lait maternisé, consultez le chapitre 2.

VOTRE BÉBÉ COMMENCE À MANGER SEUL

C'est à ce moment que vous allez abandonner tout espoir de contrôler la situation. Heureusement, c'est aussi à l'âge où l'enfant veut manger seul que ses besoins caloriques diminuent nettement. Je dis heureusement, car le contenu de son assiette se retrouve souvent par terre ! Il faudra probablement prévoir des repas plus longs et s'attendre à voir votre enfant devenir plus difficile maintenant qu'il a le choix de mettre ou non la nourriture dans sa cuillère. C'est une période très éprouvante ! Le secret est de rester calme et de réduire le plus possible les distractions pendant les repas.

❧ A-T-IL FAIM À 2 HEURES DU MATIN ? ❧

Ce dont les jeunes parents auxquels j'ai parlé se plaignent le plus, ce sont les nuits interrompues. Un bébé peut se réveiller en pleurant pour une multitude de raisons : il a soif, il est mouillé (une couche souillée peut devenir très froide), il a chaud ou froid, il se sent mal, ses habitudes de sommeil sont mal établies ou bien il dort trop dans la journée. Il existe une autre possibilité : la faim, surtout s'il se réveille chaque nuit à la même heure. Essayez ces quelques remèdes :

1 Réveillez-le pour la tétée ou le biberon avant d'aller vous coucher. Cela vous semble peut-être cruel, mais c'est bien moins cruel que de vous priver de sommeil, car votre enfant se rattrapera le lendemain et pas vous.

2 Donnez-lui tard le soir un aliment qui incite au sommeil : une bouillie d'avoine, du riz brun, du poulet ou de la dinde.

3 Si vous suivez les conseils de ce livre et ne servez pas le soir à votre enfant des aliments qui perturbent le taux de sucre sanguin : donnez-lui une céréale comme l'orge, du riz brun et un produit laitier en dessert (voir page 63), vous réduirez ainsi le risque de le voir se réveiller à 2 heures du matin parce qu'il manque soudain de sucre.

CUISINER POUR VOTRE BÉBÉ : LA SÉCURITÉ AVANT TOUT

Pendant au moins les six premiers mois, il est primordial de stériliser les biberons et les accessoires de préparation. Vous pouvez acquérir un équipement spécial pour les stériliser à la vapeur, mais il est tout aussi efficace de faire bouillir les ustensiles pendant vingt minutes ou de les mettre dans le lave-vaisselle, après les avoir bien rincés, pour un cycle de lavage normal. Faites bouillir les tétines séparément, à couvert, en veillant à ce qu'il n'y reste aucune bulle d'air.

Les bébés sont plus sensibles que les adultes aux intoxications alimentaires. C'est pourquoi il faut prendre certaines précautions pour éviter la prolifération de bactéries dans la nourriture.

• Les restes peuvent être congelés, puis conservés au-dessous de 0 °C, sans dépasser une période maximale (voir page 40). Les aliments doivent être totalement décongelés avant d'être cuits, et jamais recongelés après.

• Si vous utilisez des petits pots, ne versez que la quantité nécessaire dans l'assiette de bébé, après l'avoir prélevée au moyen d'une cuillère stérile. Le reste peut être conservé au réfrigérateur dans le pot bien refermé, et consommé au repas suivant. Ne le gardez pas au-delà.

• Les jeunes enfants sont particulièrement vulnérables à la listériose et à la salmonellose, qui causent des troubles graves. Pour cette raison, ne leur donnez pas de fromage fermenté non pasteurisé ni de jaune d'œuf mal cuit.

• Ne coupez jamais d'aliments (pain, fruits, légumes) sur une planche ayant servi à découper de la viande crue. Brossez soigneusement les planches à découper après emploi et laissez-les bien sécher à l'air. Mieux vaut encore utiliser des planches à découper en plastique dur, dans lesquelles les bactéries ne séjournent pas.

• Cuisez à point les viandes et les poissons pour tuer d'éventuels parasites.

• Lavez les fruits avec soin et, s'ils ne sont pas issus de l'agriculture biologique, pelez-les avant de les donner aux tout-petits. Il est dommage de se priver ainsi des nutriments les plus précieux, qui se trouvent juste sous la peau, mais c'est plus sûr. Ce conseil figure parmi les recommandations officielles les plus récentes en raison d'une possible accumulation de résidus agricoles responsables de crampes d'estomac chez l'enfant. Il y a une autre raison de peler les fruits : les plus jeunes peuvent s'étouffer avec la peau.

• Lavez-vous toujours les mains avant de manipuler ou de préparer les biberons et les aliments. Insistez pour que toute la famille, ainsi que les personnes qui s'occupent des enfants, prenne l'habitude de se laver les mains à l'eau et au savon (l'eau seule ne suffit pas) après être allée aux toilettes ou avoir changé une couche.

L'ÉQUIPEMENT DE BASE

Il existe une variété stupéfiante d'ustensiles destinés à la préparation des repas des bébés. Dans les rayonnages des magasins, toutes sortes de stérilisateurs et de moulinettes tenteront de vous séduire. Mais vous pouvez tout à fait vous débrouiller avec ce que vous avez déjà à la maison. Voici une liste qui comprend à la fois le strict minimum et quelques gadgets utiles.

Robot, mixeur, moulinette ou presse-purée Vous possédez certainement au moins l'un de ces appareils. Dans le cas contraire, une moulinette bon marché sera plus que suffisante pour réduire en purée les repas de votre bébé au cours des premiers mois. Ensuite, vous les écraserez à la fourchette ou vous les hacherez. Je suis particulièrement contente de mon mini-hachoir électrique, abordable à l'achat, et qui, après avoir mouliné les repas de mon fils, a repris du service pour hacher de petites quantités de fines herbes, de fruits à coque et de graines.

Cuit-vapeur ou passoire posée sur une casserole avec un couvercle J'utilise beaucoup mon cuit-vapeur. Une casserole contenant un fond d'eau, couverte d'une passoire et d'un couvercle qui empêche la vapeur de s'échapper est tout aussi efficace. Vous pouvez aussi acheter des paniers empilables pour cuire plusieurs plats en même temps.

Râpe La râpe est utile pour servir des légumes racines ou pour réduire en morceaux le repas des enfants de plus de 1 an.

Petite casserole Elle vous servira à réchauffer de faibles quantités de nourriture.

LES GOBELETS À BEC, LES COUVERTS MINIATURES ET LES ASSIETTES INCASSABLES

On trouve facilement des gobelets à bec qui ferment bien ; ils soulagent les parents dont les enfants aiment se servir de leur gobelet comme d'un arrosoir. Les petits couverts pour enfants sont plus faciles à manier que les grands et plaisent beaucoup aux intéressés. Mon fils adore verser lui-même sa boisson à l'aide d'une théière de poupée. C'est à la fois amusant et responsabilisant pour lui, car il veille à ne rien renverser.

LES MÉTHODES DE STOCKAGE

Nous sommes aujourd'hui si habitués aux plats tout préparés que nous oublions qu'il est possible, avec un peu de réflexion et d'organisation, de manger sainement sans se priver de la commodité qu'ils apportent.

LE TEMPS DE CONGÉLATION

Voici le temps maximum de congélation pour chacun des aliments suivants :

Bœuf et agneau cuits	4 mois
Porc et jambon cuits	1 mois
Volaille cuite	3 mois
Poisson cuit	2 mois
Légumes, purées	1 à 2 mois
Fruits, compotes	1 année
Soupes de haricots, lentilles et petits pois	2 mois

La congélation Elle est très utile aux parents. Cette excellente méthode de conservation préserve la plus grande part des nutriments. Pour un petit bébé, il est pratique de congeler des mini-portions dans des bacs à glaçons. Pour libérer les bacs afin de les réutiliser, il suffit de placer les cubes congelés dans des boîtes ou des sacs de congélation. Vous pouvez cuisiner exprès pour congeler les plats ou simplement congeler vos restes. Étiquetez et datez précisément chaque produit, car tous les aliments se ressemblent une fois congelés. Ne congelez jamais de lait maternisé reconstitué ; en revanche, il est possible de congeler (pour six mois au maximum) de petites quantités de lait maternel dans des récipients en plastique stériles prévus à cet effet.

Les aliments secs C'est une solution pratique et de bonne valeur nutritive, à condition que les denrées n'aient pas ranci. Les céréales sont très périssables, et, si on les garde trop longtemps, elles peuvent être infestées d'insectes microscopiques. Je vous conseille de les placer dans des récipients hermétiques sur lesquels vous inscrirez une date limite d'utilisation. Les haricots, céréales, légumes secs, pâtes et biscuits secs se conservent dans un placard sombre.

Les conserves Elles sont très tentantes mais ne sont qu'un pis-aller. Sachez faire la différence entre une bonne et une mauvaise conserve (voir ci-contre). La plupart des aliments en conserve sont tellement traités qu'ils n'ont plus aucune valeur nutritive et, en règle générale, je préfère les éviter. De plus, la boîte elle-même peut transmettre au contenu des produits chimiques indésirables. Le problème des soudures à l'étain a été résolu, mais il s'avère que le plastique dont est doublé l'intérieur de certaines boîtes diffuse des substances apparentées aux œstrogènes néfastes. La solution est peut-être de consommer des conserves conditionnées en bocaux de verre, ce qui est le cas des aliments pour bébés. Pour couronner le tout, les conserves sont souvent additionnées de sel et de sucre, qu'il vaut mieux éviter.

Certains aliments en boîte peuvent vous dépanner :

Sardines, thon, saumon, maquereaux, pilchards Choisissez-les à l'huile d'olive. Leurs acides gras essentiels sont en grande partie intacts.

Haricots en grains (blancs, flageolets, cocos, etc.), lentilles, pois chiches Ils ont conservé leur teneur en fibres et en sels minéraux. Placez-les dans une passoire et rincez-les longuement à l'eau courante. Comme ils sont très cuits, ils sont souvent mieux tolérés par les petits que les haricots maison. Chose curieuse, les haricots rouges, qui renferment des lectines toxiques, sont bien plus sains en boîte que quand on prend le risque de mal les cuire soi-même. Vérifiez que les conserves ne contiennent ni sel ni sucre ajoutés.

Tomates Elles sont utiles pour préparer des ragoûts, des soupes et des sauces, même si le goût des tomates fraîches est indubitablement préférable. Quand elles sont conditionnées «au jus», sans sel ni sucre ajoutés, elles renferment tout de même un taux intéressant de lycopène, substance antioxydante et anticancéreuse.

LES MODES
DE CUISSON

LES ALIMENTS CRUS

Il peut sembler étrange de parler d'aliments crus dans un chapitre consacré à la cuisson, mais ceci n'est qu'un rappel qui complète l'exposé de la page 74. Les fruits et les légumes crus fournissent davantage de vitamines, de sels minéraux, d'acides gras essentiels et d'enzymes que n'importe quel aliment cuit, et c'est pourquoi vous devez en offrir le plus souvent possible à votre enfant. Selon l'aliment choisi et l'âge du bébé, écrasez-le à la fourchette ou passez-le à la moulinette. Vous pouvez aussi préparer des jus frais (voir page 71) ; les bébés plus grands peuvent manger des bâtonnets de fruits et de légumes.

LA VAPEUR

La cuisson à la vapeur épargne les nutriments mieux que les autres modes de cuisson. Les légumes cuits à la vapeur, qui doivent rester un peu croquants, ont bien meilleur goût que les légumes bouillis et leurs vitamines sont préservées. De plus, le légume ne séjournant pas dans l'eau, les sels minéraux ne sont pas dissous. Le poisson se cuit très bien de cette manière qui protège son goût délicat.

L'EAU BOUILLANTE

Je m'efforce de réserver cette méthode aux denrées dont les nutriments, protégés par une peau, risquent moins de se disperser dans l'eau de cuisson : les pois, les haricots et les lentilles, le maïs, les courges butternut entières et les pommes de terre en robe des champs.

LA CUISSON AU FOUR

L'avantage du four, c'est que vous pouvez y cuire plusieurs plats en même temps afin de remplir le congélateur en prévision des jours où vous n'aurez pas le temps de cuisiner. Cette méthode permet également de ne pas employer trop de matières grasses, par rapport à une cuisson à la poêle, par exemple. Le four est excellent pour cuire le poisson, car les températures y sont moins élevées que sous le gril ou dans la poêle,

ce qui protège de la destruction les acides gras essentiels. Certains légumes, surtout les légumes méditerranéens gorgés de soleil (les aubergines, les courgettes, les poivrons et les oignons rouges), sont meilleurs au four. Quant aux carottes et autres racines, elles y prennent une teinte caramélisée qui séduit les enfants. Certaines personnes couvrent les plats avec un papier d'aluminium ; toutefois, pour ne pas trop vous exposer aux effets de ce métal, je vous conseille de ne pas laisser la feuille toucher les aliments.

LE GRIL

Un aliment grillé à très haute température se dénature rapidement. Je règle mon gril sur une température modérée et je place les aliments loin de l'élément chauffant pour les cuire moins brutalement. Un gril nécessite moins de matière grasse qu'une cuisson à la poêle et peut servir à gratiner les plats. Mais il faut éviter de donner aux enfants des aliments noircis, c'est-à-dire brûlés, car ce sont des aliments « morts » et potentiellement cancérigènes. Pour les mêmes raisons, mieux vaut que les enfants ne mangent pas trop souvent d'aliments cuits au barbecue.

LA FRITURE ET LA CUISSON À LA POÊLE

Ces méthodes qui combinent des températures élevées et des quantités importantes de matières grasses ne doivent être employées qu'occasionnellement. Utilisez de préférence du beurre ou de l'huile d'olive, ou bien de l'huile (ou du beurre) de coco. En choisissant d'autres huiles pour frire, vous détruisez ce qu'elles contiennent de bon et créez des sous-produits dangereux.

LE WOK

Sorte de grande sauteuse à fond rond, c'est un ustensile précieux, car il ne nécessite l'emploi que de faibles quantités d'huile et donne des légumes croquants, jamais trop cuits. Si vous ne l'avez jamais essayé, je vous le conseille. Au lieu d'huile, vous pouvez utiliser un mélange d'eau et

d'huile que vous projetterez sur les aliments à l'aide d'un pulvérisateur. Lorsque votre plat est prêt, ajoutez une cuillerée d'huile de sésame ou d'huile de noix première pression à froid, comme pour assaisonner une salade. Ainsi, vous profitez pleinement des saveurs et tirez tout le bénéfice de l'huile crue.

LES PRODUITS FUMÉS ET LES SALAISONS

Il est bien rare que l'on fume soi-même ses aliments, mais il existe tant de produits fumés dans le commerce qu'il faut en dire un mot. Le fumage souligne agréablement la saveur des aliments. Cependant, il produit des substances cancérigènes et mieux vaut éviter d'en donner souvent aux enfants. Une ou deux fois par semaine sont un maximum, et encore, uniquement si c'est pour que l'enfant bénéficie des acides gras du poisson fumé. Pour varier les menus facilement, donnez un peu de maquereau, de hareng ou de saumon fumé (les chutes sont moins chères et tout aussi bonnes). Évitez le lard, le jambon, les saucisses et saucissons fumés, qui sont particulièrement riches en sels nitrités (conservateurs). Une alimentation variée, riche en fruits et légumes, compensera les éventuels effets néfastes de la présence d'aliments fumés au menu.

LE FOUR À MICRO-ONDES

On le considère sans danger du moment qu'il n'est pas endommagé et qu'il n'y a aucune fuite d'ondes. Par prudence, les femmes enceintes ne doivent pas s'en approcher quand il fonctionne.
Les micro-ondes ont pour effet d'agiter les molécules d'eau, ce qui produit de la chaleur et cuit l'aliment de l'intérieur. Des études ont montré que cette méthode préservait la vitamine C mieux que d'autres modes de cuisson. Pour l'instant, il n'existe que très peu de travaux sur l'innocuité du four à micro-ondes, mais je me méfie de tout procédé qui consiste à agiter les molécules, car la structure moléculaire des aliments est très fragile.

Au cours d'une étude récente, deux groupes de volontaires ont dégusté le même repas à base de légumes, l'un cuit dans un four classique et l'autre au micro-ondes. Les résultats montraient que la composition sanguine des membres de ce dernier groupe était différente de celle des autres. Ils avaient un taux de cholestérol plus élevé, plus de globules blancs et moins d'hémoglobine. Ce n'est guère rassurant. Rien n'est encore établi et il faudra approfondir les recherches.

4

LE B.A.-BA
DE LA NUTRITION

Nous allons étudier ici les principaux composants des aliments et leur action sur la santé. On dénombre environ quarante-sept nutriments essentiels, que nous sommes incapables de fabriquer mais que nous devons mettre à notre menu. Selon qu'il est enfant ou adulte, l'être humain a besoin de huit à onze acides aminés, qui sont les matériaux indispensables de la construction protéique, ainsi que de deux acides gras essentiels, de treize vitamines et d'une vingtaine de sels minéraux.

QUE NOUS APPORTE LA NOURRITURE?

A l'état naturel, notre nourriture ne nous délivre que sept classes d'éléments utilisables : protéines, lipides, hydrates de carbone, fibres, eau, vitamines et sels minéraux. Mais les variations sont très nombreuses, et c'est l'équilibre et la qualité des composants qui font qu'un aliment est utile, inutile ou nuisible. Comprendre cette différence est la première étape dans l'élaboration d'une alimentation optimale pour votre enfant.

LES PROTÉINES

Les protéines sont faites d'acides aminés, ceux-là même qui composent toutes nos cellules et représentent environ 17 % de notre poids. Il n'y a pas que nos cellules qui soient faites de protéines : c'est aussi le cas de la moelle, des hormones, des substances chimiques de notre système nerveux et des enzymes.

Pourtant, le corps n'a pas besoin d'en ingérer de grandes quantités, car il possède la faculté d'en fabriquer selon ses besoins à partir de la réserve d'acides aminés que renferme le foie. Les recommandations diététiques conseillent de prendre 12 à 15 % de notre ration de calories sous forme de protéines, alors même que, au moment de la croissance la plus rapide, pendant les six premiers mois de la vie, la nature ne fournit que 1,5 % de protéines par l'intermédiaire du lait maternel.

Un adulte fabrique environ 300 g de protéines par jour, mais n'a besoin d'en absorber que 40 g – c'est à peu près ce que procurent deux portions de poisson ou de poulet. Les carences sont très rares chez les Occidentaux, car les légumes en fournissent aussi d'importantes quantités. Le problème serait plutôt un apport protéique excessif. Les aliments riches en protéines sont la viande, le lait, le fromage, les œufs, les légumes secs, les céréales, les champignons, le soja et le tofu, le quinoa, les fruits à coque et les graines.

LES LIPIDES

Les lipides servent à bien autre chose qu'à enrober le corps, et les bébés en ont besoin en quantité non négligeable. Les lipides polyinsaturés servent à la structure des cellules, auxquelles ils apportent flexibilité et protection, aux hormones, au développement cérébral et à la protection des nerfs. Le cerveau est composé de graisses à 60 %, mais il ne s'agit pas de n'importe quelles graisses, leur qualité importe. On distingue trois types de matières grasses alimentaires : saturées, monoinsaturées et polyinsaturées.

Les graisses saturées Solides à température ambiante, elles sont principalement d'origine animale. Il s'agit du beurre, du fromage, de la crème du lait, du gras de la viande et des œufs. Il y a aussi des sources végétales, comme le beurre de coco. Les margarines polyinsaturées, qui sont hydrogénées, sont les « cousins honteux » des graisses saturées. Pour passer de l'état liquide à l'état solide à température ambiante, elles subissent un traitement qui détruit leurs bienfaits et leur confère certaines propriétés néfastes. Je ne vous conseille pas de les utiliser. Les matières grasses hydrogénées sont présentes dans toutes les préparations industrielles pour lesquelles on a eu recours à des huiles végétales. Citons en particulier les chips et les tartes salées ou sucrées.

L'organisme stocke les graisses saturées pour se constituer des réserves d'énergie, mais il possède aussi la faculté de fabriquer toutes celles dont il a besoin à partir d'hydrates de carbone. Un apport modéré de graisses saturées est sans risque ; hélas, le régime occidental a tendance à en faire trop grand usage, au détriment des graisses insaturées. Les meilleures graisses saturées pour la cuisine sont le beurre, ainsi que l'huile et le beurre de coco, mais mieux vaut ne pas prendre l'habitude de s'en faire des tartines ou d'en assaisonner les plats de légumes, car c'est la porte ouverte à tous les excès.

L'abus de graisses saturées est un facteur déterminant dans l'apparition de ces fléaux que sont les maladies inflammatoires telles que l'arthrite. Pendant l'enfance, il peut jouer un rôle dans le développement de l'eczéma et de l'asthme, qui sont aussi des maladies inflammatoires.

Les graisses monoinsaturées Elles forment un petit groupe qui comprend entre autres l'huile d'olive. Celle-ci, qui est presque saturée, reste stable à la chaleur. C'est donc une bonne huile de cuisson, qui ne se dénature pas facilement et conserve la plupart de ses qualités. Choisissez une huile d'olive vierge première pression à froid. Plus sa couleur est foncée, meilleure elle est pour votre enfant. Dans les pays où l'on consomme de grandes quantités d'huile d'olive, toutes les maladies associées au vieillissement sont moins répandues. Conservez votre huile d'olive au frais et à l'ombre. Ne la laissez pas à côté de la cuisinière.

Les graisses polyinsaturées Ce sont les meilleures pour la santé. On les trouve dans les fruits à coque frais, les légumes et les poissons gras comme le maquereau, les sardines, le thon et le saumon. Deux des lipides de ce groupe sont appelés acides gras essentiels : l'acide linoléique et l'acide alphalinoléique. Le terme « essentiel » signifie que nous ne sommes pas capables de fabriquer ces éléments, et que nous devons donc les absorber par l'alimentation. Ils sont indispensables au fonctionnement normal de chaque cellule et à la vie même ; une carence entraînerait des maladies et pourrait être fatale. Ils servent à des processus vitaux tels que la formation des membranes cellulaires, la production d'hormones et la construction du tissu nerveux.

Certains industriels font figurer la mention « riche en graisses polyinsaturées » sur des produits si transformés qu'ils font peut-être plus de mal que de bien. La meilleure façon de vous assurer que vous en consommez utilement est d'employer des huiles végétales pressées à froid (tournesol, sésame, carthame ou lin), ou de manger des graines et des fruits à coque frais. Attention, ne cuisez pas ces huiles, car la chaleur, en plus de détruire leurs composants bénéfiques, donnerait naissance à des composés toxiques. (Répétons-le : pour cuisiner, mieux vaut utiliser de l'huile d'olive, un peu de beurre, de l'huile ou du beurre de coco.) Les fruits à coque et les graines rancissent rapidement : achetez-les en petites quantités dans des magasins régulièrement livrés et ne les oubliez pas sur l'étagère.

Enfin, il y a les huiles de poisson. Pendant des générations, on a forcé les enfants à avaler de l'huile de foie de morue, et on avait raison. C'est de ces huiles que nous avons le plus grand besoin. Elles sont importantes pour le développement cérébral du bébé. Elles contiennent un dérivé de l'acide alphalinoléique appelé EPA (acide écosapentaénoïque). Toutefois, je ne vous conseille pas, aujourd'hui, de consommer de l'huile de foie de morue, mais plutôt de manger le poisson frais lui-même (il s'appelle alors cabillaud), ce qui est plus sain. L'huile de foie de morue peut en effet contenir des niveaux élevés de toxines, et, à hautes doses, vous pourriez donner trop de vitamines A et D à votre enfant. Pour les végétariens, l'huile de lin est une bonne alternative.

LES ACIDES GRAS ESSENTIELS

	CARACTÉRISTIQUES	FONCTIONS PRINCIPALES	SOURCES ALIMENTAIRES
ACIDE LINOLÉIQUE DÉRIVÉ Le GLA (acide gammalinoléique) présent dans les huiles d'onagre, de bourrache et de pépins de cassis	Provient obligatoirement de l'alimentation. Sensible à la chaleur, à la lumière et au vieillissement. Non toxique, mais l'abus peut provoquer des symptômes.	Contribue à la protection et à la souplesse des parois cellulaires; sert à la construction cérébrale et à la protection des nerfs; utile à la production d'hormones; produit des substances anti-inflammatoires (ainsi que quelques substances inflammatoires).	Fruits à écale frais, graines fraîches, huiles première pression à froid (tournesol, carthame, sésame, maïs, amande douce, pépins de raisin), son de riz.
ACIDE ALPHALINOLÉIQUE DÉRIVÉ L'EPA, présent dans les poissons gras	Provient obligatoirement de l'alimentation. Sensible à la chaleur, à la lumière et au vieillissement. Non toxique.	Contribue à la protection et à la souplesse des parois cellulaires; sert à la construction cérébrale, à la protection des nerfs et à la production d'hormones; produit des substances anti-inflammatoires et des anticoagulants.	Huile de lin première pression à froid, graines de courge, soja, noix et huile de noix.

LES HYDRATES DE CARBONE

Les hydrates de carbone sont notre principal carburant. On en distingue deux types : raffinés et complexes.

Tous les hydrates de carbone finissent transformés en glucose sanguin. L'important, c'est la vitesse à laquelle s'opère la transformation. Si elle est trop rapide, leur effet est négatif; mais si elle s'effectue lentement, nous disposons d'une énergie durable adaptée à nos besoins. Le cerveau consomme environ 30 % du glucose total et, en sa qualité d'organe vital, il a priorité par rapport aux autres demandeurs. C'est pourquoi une glycémie bien régulée nous met de bonne humeur, le cerveau étant correctement alimenté. N'importe quel parent sur les nerfs comprendra quel intérêt cela peut avoir chez l'enfant !

Les hydrates de carbone raffinés Citons le pain blanc, le riz blanc, les pommes de terre pelées, les céréales instantanées chaudes, la plupart des biscuits, les pâtisseries préparées à la farine blanche, la plupart des fonds de tarte et le sucre.

Ces produits sont des inventions humaines et ne sont rien de plus que des hydrates de carbone complexes dépouillés de leurs fibres. Au cours du raffinage, la majorité des nutriments, vitamines et sels minéraux sont également éliminés: produits exempts de matériaux utilisables par l'organisme.

Les hydrates de carbone complexes Les hydrates de carbone complexes typiques sont le pain complet, les céréales complètes, les flocons d'avoine à cuire, le riz brun, les pommes de terre en robe des champs, les patates douces avec leur peau, les pâtes complètes, les biscuits complets à l'avoine, au seigle ou au blé et les fonds de tarte à la farine complète.

C'est sous cette forme que notre corps peut le mieux tirer profit des hydrates de carbone. Ils offrent un éventail complet de calories (c'est-à-dire d'énergie), de vitamines, de sels minéraux et de fibres. Notre organisme étant adapté à l'exploitation de ce type de carburant, nous pouvons métaboliser (brûler) leur énergie à un rythme lent. Cela signifie que notre dynamisme et notre humeur restent égaux, au lieu de passer par des phases montantes et descendantes. Les enfants ont tout à y gagner. Leur donner des hydrates de carbone raffinés, surtout du sucre, revient à mettre du kérosène dans une lampe à huile.

LES FIBRES

Jusqu'à une époque assez récente, on considérait que les fibres n'étaient que des déchets issus des hydrates de carbone, et que nous pouvions nous en passer. Il est vrai qu'elles ne contiennent aucun nutriment et qu'elles sont éliminées. Pourtant, elles jouent un rôle crucial dans le ralentissement de l'assimilation des sucres et sont indispensables au bon fonctionnement de l'intestin, auquel elles fournissent un volume de matière à traiter. Une consommation adéquate de fibres, surtout de fibres solubles, réduit le risque de maladies cardio-vasculaires, aide à prévenir certains cancers, le diabète et tous les troubles digestifs des sociétés développées : syndrome du côlon irritable, diverticulite, constipation, hémorroïdes et colite.

Il existe deux catégories de fibres : les fibres solubles et les fibres insolubles. Les deux nous sont nécessaires. Le froment et le son de blé sont très riches en fibres insolubles. Toutefois, la meilleure façon d'en absorber n'est pas, contrairement à certaines habitudes, d'en ajouter une cuillerée aux céréales du matin. En effet, il faut aussi manger des fibres solubles. Les fibres insolubles en quantité excessive peuvent agresser et irriter les parois intestinales. Elles ne sont surtout pas conseillées aux jeunes enfants.

Les fibres solubles deviennent filandreuses à la cuisson. En manger une quantité raisonnable est extrêmement bénéfique et facilite l'évacuation de selles volumineuses. Un dicton que j'aime beaucoup dit : « Quand les selles sont abondantes, les hôpitaux sont rares. » Les meilleures sources de fibres solubles sont entre autres l'avoine, les poires, les framboises, les figues, les pruneaux, les pois, les lentilles, les haricots, les pois chiches, les patates douces, les ignames, le sarrasin et le riz brun.

JAMAIS SANS MON H_2O

L'eau est l'élément le plus indispensable à l'organisme après l'air. Nous pouvons survivre assez longtemps sans nourriture, mais seulement quelques minutes sans air et deux ou trois jours sans eau.

L'EAU

C'est l'aliment le plus oublié. Nous sommes composés à 60 % d'eau, et même nos os sont faits d'eau à hauteur de 25 %. En plus d'assurer l'hydratation des cellules, l'eau est absolument indispensable aux enzymes, dont dépendent les milliards de réactions chimiques qui ont lieu chaque jour dans l'organisme. Si l'eau vient à manquer, certains processus ne peuvent plus avoir lieu correctement.

Je suis peut-être pointilleuse, mais je préfère que mon enfant boive une eau aussi peu polluée que possible, et je trouve que le minimum serait de filtrer l'eau destinée à un tout-petit avant de la faire bouillir. On éliminerait ainsi la majorité des particules lourdes et des polluants qui peuvent s'y trouver. On peut également se procurer de l'eau en bouteille, ou installer un filtre directement sur le robinet. Les seules eaux minérales qu'il faut éviter de donner à un enfant sont les eaux gazeuses, très difficiles à traiter par un si petit intestin.

Les enfants habitués à boire de l'eau dès leur plus jeune âge en sont très heureux et la préfèrent aux jus de fruits ou aux sodas. Donner à votre enfant le goût de l'eau est le plus beau cadeau que vous puissiez lui faire. C'est un véritable trésor de santé. Parmi toutes les marques proposées, choisissez celles qui portent la mention « Convient à l'alimentation des nourrissons ».

LES VITAMINES ET LES SELS MINÉRAUX

Par définition, une vitamine est une substance vitale que l'organisme ne sait pas synthétiser : elle doit provenir de l'alimentation. C'est également le cas des sels minéraux. Les vitamines présentes dans nos aliments ont été fabriquées par les végétaux ou les animaux que nous mangeons et les sels minéraux ont été puisés par les plantes dans la terre où elles poussent.

On distingue deux grands groupes de vitamines : les liposolubles et les hydrosolubles. L'assimilation des vitamines liposolubles ne peut se faire sans la présence dans l'organisme d'une certaine proportion de lipides. Elles sont mises en réserve dans le foie, ce qui rend possible un excédent ou hypervitaminose. Les vitamines hydrosolubles sont généralement sans danger, car tout excès est éliminé et non stocké. Certaines vitamines sont dites semi-vitales, car nous pouvons les fabriquer nous-mêmes dans une certaine mesure.

Les sels minéraux se subdivisent en macrominéraux, dont nous faisons grande consommation (calcium, magnésium, phosphore pour les os), et en oligoéléments, dont de très petites quantités suffisent (zinc, sélénium, chrome).

L'homme de la rue dira que le calcium est bon pour les os, que la vitamine C sert à lutter contre les rhumes et le scorbut, que la vitamine A (dans les carottes) est bonne pour la vue, et que la vitamine D évite le rachitisme. Chacun de ces éléments permet de lutter contre une maladie, que l'on peut donc prévenir en mettant au menu des denrées qui procurent une dose suffisante de vitamines. Après avoir déterminé les doses qui permettent de parer aux carences, les autorités gouvernementales fixent dans chaque pays des apports journaliers recommandés (AJR).

UN RÔLE MULTIPLE

Cette théorie, très répandue, qui consiste à voir dans les nutriments uniquement un moyen de lutter contre les carences, comporte un défaut majeur : elle laisse de côté leurs effets plus subtils sur la santé et le bien-être. La vérité est que chaque nutriment a un rôle multiple et que tous sont inter-dépendants. Tous les processus biologiques humains sont dus aux enzymes : la respiration, la pensée, les battements du cœur, la digestion des repas. Et toutes les enzymes ont besoin de vitamines et de sels minéraux pour faire leur travail.

Prenons la production d'énergie. Je choisis cet exemple parce que nous manquons presque tous d'énergie et que les enfants en brûlent d'énormes quantités. Si l'on y réfléchit, on se rend compte qu'il faut de l'énergie pour grandir, pour réparer les tissus et pour accomplir toutes les fonctions corporelles. Or, le cycle énergétique des cellules utilise les nutriments suivants : vitamines B1, B2, B3, B5, B6, C, coenzyme Q_{10}, biotine, acide folique, fer, magnésium, zinc, manganèse et cuivre.

LES ANTIOXYDANTS

Les antioxydants méritent une mention spéciale en raison de leur grand intérêt. Ils protègent contre l'oxydation des tissus, de la même façon que le jus de citron, qui contient de la vitamine C, empêche une pomme coupée de noircir (c'est-à-dire de s'oxyder) au contact de l'air. Les principaux antioxydants sont les vitamines A, C et E, le bêta-carotène, et deux oligoéléments, le sélénium et le zinc. Étude après étude, il a été prouvé que ces substances réduisent significativement le risque de maladies dégénératives comme le cancer et les troubles cardiaques. Le meilleur moment pour commencer à constituer ses stocks, c'est l'enfance.

Ces nutriments jouent également un rôle majeur pour renforcer le système immunitaire et prévenir l'asthme. Il existe aussi plusieurs antioxydants « non essentiels », c'est-à-dire dont nous ne sommes pas tenus de tirer de notre alimentation. Il apparaît de plus en plus clairement qu'ils sont tout de même très efficaces pour protéger l'organisme et qu'il est bon d'en consommer. Les antioxydants travaillent en synergie : l'effet des uns renforce l'efficacité des autres. Prendre un peu de chaque est donc meilleur qu'avaler une forte dose d'un seul.

Vous comprenez maintenant pourquoi il est vital de mettre au menu des portions importantes d'une grande diversité de nutriments. Le meilleur moyen de les absorber, c'est de manger des aliments variés aussi purs que possible.

LES AJR (APPORTS JOURNALIERS RECOMMANDÉS)

Les AJR ont été établis par le gouvernement de plusieurs pays afin que soit fixé le niveau de consommation de divers nutriments au-dessus duquel la population ne souffrira pas de maladies de carence (scorbut, béribéri, pellagre). Ces AJR sont mentionnés sur les emballages, par exemple sur le côté des boîtes de céréales, sous la forme de pourcentage de l'AJR apporté par une portion du produit en question. Cette mesure s'est montrée efficace, puisque la plus grande partie de la population ne connaît aucune carence (bien que l'on note une certaine recrudescence des cas). Hélas, les États n'ont pas su se mettre d'accord sur les valeurs recommandées et, d'un pays à l'autre, on constate des écarts allant de un à dix pour certains nutriments. Qui faut-il croire alors ?

De plus, nos responsables sanitaires n'ont pas encore abordé la question des apports optimaux, ceux qui assurent une excellente forme. Ils concèdent que les enfants, les femmes enceintes et allaitantes, et les personnes âgées ont des besoins nutritionnels spécifiques. Heureusement, des chercheurs se sont penchés sur le problème et nous offrent leurs conclusions. Une étude réalisée auprès de 1 000 médecins et praticiens de santé a montré que les personnes qui consomment 410 mg de vitamine C par jour (4,5 fois plus que l'AJR) manifestaient peu de troubles et la plus faible incidence de rhumes. C'est réconfortant quand on sait que l'adulte moyen en a 3,5 par an !

Le Dr Emanuel Cheraskin, grand chercheur en nutrition, a publié avec son équipe de l'université d'Alabama des travaux très intéressants, menant à la création des *Suggested Optimal Nutrient Allowances*, que l'on pourrait traduire par AJOS (apports journaliers optimaux suggérés). Après avoir suivi 3500 personnes de six régions des États-Unis sur une période de quinze ans, il a constaté que celles qui avaient la meilleure santé consommaient des rations de nutriments systématiquement supérieures aux AJR américains. Pour le Dr Cheraskin, un individu en bonne santé manifeste non seulement une absence de maladie de carence, mais aussi un faible taux de symptômes cliniques, de maladies bénignes ou de maladies dégénératives. Il a découvert que ces personnes avaient une alimentation riche en nutriments par rapport à l'apport calorique, et qu'elles prenaient souvent des suppléments minéraux ou vitaminés. De nombreux travaux scientifiques étayent la thèse selon laquelle des apports supérieurs aux AJR renforcent la résistance à l'infection, réduisent le risque de maladie dégénérative et stimulent l'activité cérébrale.

FAUT-IL PRENDRE DES SUPPLÉMENTS DE VITAMINES?

Je suis convaincue que les suppléments doivent rester ce qu'ils sont, c'est-à-dire compléter une bonne alimentation variée. Loin de moi l'idée de vouloir vous convaincre d'aller contre vos principes si vous refusez de donner à votre enfant des comprimés de vitamines ou de sels minéraux. Pour certains parents, cela revient en effet à donner des médicaments, et ils rejettent cette idée. Toutefois, à chaque fois que vous utilisez du lait maternisé, sachez que celui-ci a été transformé nutritionnellement, certaines vitamines ou sels minéraux ayant été ajoutés ou retranchés. Nombreuses sont les marques de céréales enrichies. Les gouttes de vitamine D sont officiellement recommandées jusqu'à l'âge de 6 ans, et il est même conseillé de poursuivre cette supplémentation jusqu'à l'adolescence.

Les aliments raffinés nous apportent suffisamment de calories mais pas assez de nutriments. La farine blanche contient 90 % de sels minéraux de moins que la farine complète, et n'est même plus assez riche pour faire vivre le parasite du blé, le charançon! Un supplément vitaminique et minéral peut protéger contre ces pertes nutritives. De

même, si votre enfant est difficile pour sa nourriture et le reste longtemps, un supplément peut l'aider à traverser cette phase. Une anorexie (perte d'appétit), même très légère, conduit à des carences en zinc.

À condition de suivre les recommandations du laboratoire, les suppléments ne présentent aucun danger, mais on peut développer une intolérance à un ingrédient spécifique. Dans ce cas, il suffit de changer de marque. Pensez que les enfants ont un foie de petite taille et sont donc plus sensibles à la toxicité des vitamines et des sels minéraux; c'est pourquoi il faut toujours prendre l'avis d'un professionnel. Si votre enfant souffre de problèmes particuliers, lisez la partie de ce livre qui s'y rapporte, puis consultez votre médecin.

Je vous donne des tableaux des vitamines et des sels minéraux, avec leurs effets et leurs sources. Je n'y ai pas inclus tous les nutriments, mais les principaux y figurent. Comme il n'existe pas de données disponibles pour les très jeunes enfants, je ne suggère pas d'apport journalier optimal, mais vous trouverez dans les tableaux les AJR officiels. Pour que votre enfant prenne sa dose optimale tous les jours, donnez-lui un supplément de bonne qualité spécialement formulé.

PRÉVENTION ET COMPENSATION

Je donne tous les jours à mon fils un supplément vitaminé pour compenser les effets de la pollution, des résidus agrochimiques, de l'épuisement du sol, de la perte de nutriments due au transport des denrées, etc. L'analyse de la composition nutritionnelle des légumes frais montre qu'en cinquante ans ils ont perdu 22 % de leur teneur en sels minéraux. La prise quotidienne d'un supplément multivitaminé peut y remédier. J'y ajoute toujours un peu de vitamine C et des acides gras essentiels. Si l'enfant suit un régime équilibré, ces mesures suffisent à lui garantir une excellente santé. Quoi qu'il en soit, je préfère que mon enfant prenne des doses plus proches des apports journaliers optimaux suggérés que des AJR. À moins que l'emballage du produit ne porte une mention contraire, je vous conseille de donner les suppléments au moment du repas, car cela facilite leur absorption.

NOMS	CARACTÉRISTIQUES	EFFETS PRINCIPAUX	SOURCES ALIMENTAIRES	APPORT QUOTIDIEN minimum pour prévenir une carence
VITAMINE A (rétinol)	Liposoluble, toxique à hautes doses, se mesure en unités internationales (UI)	Antioxydante, bénéfique pour les yeux, la croissance, les os, les dents et les gencives, protège contre les infections respiratoires et les affections thyroïdiennes, protège la vitamine C	Foie, huile de foie de morue, jaune d'œuf, produits au lait entier, hareng, maquereau	De 0 à 12 mois 375 UI De 12 à 24 mois 400 UI
BÊTA-CAROTÈNE	Hydrosoluble, non toxique, se mesure en unités internationales (UI)	Est converti en vitamine A, mais avec d'autres effets, antioxydant	Légumes à feuilles vertes, carotte, patate douce, melon, citrouille	Pas d'AJR
VITAMINE B1* (thiamine)	Hydrosoluble, sensible à la chaleur, non toxique, se mesure en milligrammes	Fournit de l'énergie, permet la digestion des hydrates de carbone, utile au système nerveux, aux muscles, aux fonctions cardiaques et mentales, à la lutte contre le stress	Céréales complètes, légumineuses, levure alimentaire, foie, porc, arachides.	De 0 à 6 mois 0,1 mg De 6 à 12 mois 0,4 mg De 12 à 24 mois 0,7 mg
VITAMINE B2* (riboflavine)	Hydrosoluble, disparaît facilement dans les liquides de cuisson, non toxique, se mesure en milligrammes	Bonne pour la croissance, la peau, les cheveux et les ongles, facilite l'assimilation des hydrates de carbone, des lipides et des protéines, utile pour l'énergie, contre le stress, soulage les petites affections de la bouche et des lèvres	Légumes à feuilles vertes, légumes, poisson, yaourt, foie, fromage blanc, lait.	De 0 à 6 mois 0,4 mg De 6 à 12 mois 0,5 mg De 12 à 24 mois 0,8 mg
VITAMINE B3* (niacine ou acide nicotinique, ex-vitamine PP)	Hydrosoluble, peut être synthétisée par l'organisme à partir d'un acide aminé, le tryptophane ; détruite par le raffinage des aliments et l'addition d'eau, non toxique, mais les fortes doses sont déconseillées chez l'enfant, peut provoquer des rougeurs du visage, se mesure en mg	Vitale pour la synthèse des hormones sexuelles et thyroïdiennes, de l'insuline, de la cortisone et d'un facteur de tolérance au glucose, nécessaire au système nerveux et cérébral, ainsi qu'au métabolisme et à la production d'énergie, permet le maintien de l'équilibre lipidique du sang	Viandes maigres, germe de blé, figue, datte, avocat, poisson, œuf, blé complet, levure de bière.	De 0 à 6 mois 5 mg De 6 à 12 mois 6 mg De 12 à 24 mois 9 mg

Doit être associée à d'autres vitamines du groupe B dans un éventuel supplément.

NOMS	CARACTÉRISTIQUES	EFFETS PRINCIPAUX	SOURCES ALIMENTAIRES	APPORT QUOTIDIEN minimum pour prévenir une carence
VITAMINE B5* (acide pantothénique)	Hydrosoluble, détruite par le raffinage et la chaleur, non toxique, se mesure en milligrammes	Vitale pour les glandes surrénales, nécessaire pour la transformation en énergie des lipides et des hydrates de carbone, pour la production d'anticorps, facilite la cicatrisation, nécessaire à la santé mentale, réduit les effets toxiques de nombreux anticorps (allergies)	Céréales complètes, germe et son de blé, mélasse crue, fruits à coque, légumes verts, poulet, jaune d'œuf, viande, foie	De 0 à 12 mois 3 mg De 12 à 24 mois 5 mg
VITAMINE B6* (pyridoxine)	Hydrosoluble, détruite par un long stockage, le raffinage et les hautes températures, non toxique (mais une surconsommation isolée peut conduire à une neuropathie réversible), se mesure en milligrammes	Stimule la production d'anticorps et de globules rouges, permet l'absorption de la vitamine B12, nécessaire pour le métabolisme des protéines (croissance, récupération, enzymes), favorise la production d'acide chlorhydrique dans l'estomac pour la digestion des protéines, agit en synergie avec le zinc	Germe et son de blé, volaille, viande, foie, melon, crucifères, poireau, lait, mélasse noire, jaune d'œuf, poissons gras	De 0 à 6 mois 0,5 mg De 6 à 12 mois 0,6 mg De 12 à 24 mois 1 mg
VITAMINE B12* (cobalamine ou cyanocobalamine)	Hydrosoluble, détruite par l'eau, la lumière et les acides, absorption souvent difficile, non toxique, se mesure en microgrammes (μg)	Permet la croissance, améliore la concentration et l'équilibre nerveux, facilite le métabolisme de l'énergie, des lipides, des protéines, des hydrates de carbone, permet la fabrication des globules rouges	Foie, bœuf, porc, poisson, fruits de mer, œuf, lait, fromage	De 0 à 6 mois 0,3 μg De 6 à 12 mois 0,5 μg De 12 à 24 mois 0,7 μg
ACIDE FOLIQUE (folate ou folacine, ex-vitamine B9)	Membre de la famille des vitamines B, hydrosoluble, détruit par un long stockage, non toxique, certains enfants allergiques présentent des réactions cutanées, se mesure en microgrammes (μg)	Nécessaire à l'utilisation des protéines et des hydrates de carbone, à la formation des anticorps, antianémique, protège contre les parasites et les intoxications alimentaires, contre les malformations du tube neural en début de grossesse	Légumes, surtout carotte et légumes à feuilles vert foncé, jaune d'œuf, abricot, citrouille, haricots, avocat, blé et seigle complets, melon	De 0 à 6 mois 25 μg De 6 à 12 mois 35 μg De 12 à 24 mois 50 μg
BIOTINE* (ex-vitamine B8, ex-vitamine H)	De la famille des vitamines B, hydrosoluble, détruite par le raffinage, les antibiotiques et l'eau, non toxique. En μg	Nécessaire au métabolisme des lipides et des protéines, assure la santé de la peau, du cuir chevelu et des cheveux	Levure de bière, riz brun, fruits à coque, fruits, jaune d'œuf, foie de génisse	De 0 à 24 mois 150 μg

* *Doit être associée à d'autres vitamines du groupe B dans un éventuel supplément.*

NOMS	CARACTÉRISTIQUES	EFFETS PRINCIPAUX	SOURCES ALIMENTAIRES	APPORT QUOTIDIEN minimum pour prévenir une carence
CHOLINE	Membre de la famille des vitamines B, émulsifiant des lipides, non toxique, se mesure en milligrammes	Passe directement dans le cerveau, maîtrise la fixation du cholestérol, favorise l'élimination des toxines et des médicaments présents dans le foie	Légumes à feuilles vertes, jaune d'œuf, germe de blé, foie, lécithine	Pas d'AJR
VITAMINE C (acide ascorbique)	Hydrosoluble, détruite par la chaleur, la lumière, le monoxyde de carbone (pollution) et l'aspirine, non toxique (l'abus peut entraîner une diarrhée), se mesure en milligrammes	Assure la santé du système immunitaire, actions antivirale et antibactérienne, active la formation de la peau, des os, des cartilages et de tous les tissus connecteurs y compris les gencives et les vaisseaux sanguins, réduit les allergies histaminiques, facilite la cicatrisation, semble lutter contre le syndrome de mort subite du nourrisson, lutte contre le stress	Agrumes, fraise, légumes à feuilles vertes, melon, poivron, chou-fleur, pomme de terre avec et sans peau, patate douce, kiwi, pousses de soja, brocolis, chou, navet, foie	De 0 à 12 mois 20 à 35 mg De 12 à 24 mois 40 mg
VITAMINE D (calciférol)	Hydrosoluble, synthétisée par la peau exposée au soleil, toxique à hautes doses, se mesure en unités internationales (UI)	Cofacteur du calcium et du phosphore pour la formation des dents et des os, agit avec les vitamines A et C pour lutter contre les rhumes	Sardine, hareng, saumon, thon, jaune d'œuf, huile de poisson, produits laitiers	De 0 à 12 mois 400 UI De 12 à 24 mois 400 UI
VITAMINE E (tocophérol)	Meilleure forme : le d-alpha-tocophérol, liposoluble. Détruite par la chaleur, la congélation, l'oxygène et le raffinage, non toxique, se mesure en unités internationales (UI)	Antioxydante, protège les membranes cellulaires, évite la formation de tissus cicatriciels, action anticoagulante, protège contre le chlore de l'eau	Germe de blé, huiles végétales pressées à froid non rancies, brocolis, choux de Bruxelles, amande, œuf, épinards, soja, tomate, fruits à coque frais, carotte, graines de courge, céréales complètes, riz brun, flocons d'avoine	De 0 à 6 mois 3 UI De 6 à 12 mois 4 UI De 12 à 24 mois 6 UI
VITAMINE K	Liposoluble, synthétisée par la flore intestinale, détruite par la congélation, les antibiotiques et l'aspirine, déconseillée à hautes doses, se mesure en microgrammes (µg)	Essentielle pour la prothrombine (un coagulant), peut-être utile au métabolisme osseux	Yaourt, pousses de luzerne, jaune d'œuf, huile de carthame, algues alimentaires, huile de foie de poisson, légumes à feuilles vertes, lait	De 0 à 6 mois 5 µg De 6 à 12 mois 10 µg De 12 à 24 mois 15 µg

NOMS	CARACTÉRISTIQUES	EFFETS PRINCIPAUX	SOURCES ALIMENTAIRES	APPORT QUOTIDIEN minimum pour prévenir une carence
CALCIUM	Macrominéral, agit en synergie avec le magnésium, le phosphore et la vitamine D ; les graisses excessives, l'acide oxalique (chocolat) et l'acide phytique (céréales) s'opposent au phosphore (boissons au cola), un abus peut mener à une hypercalcémie, se mesure en milligrammes	Construit les os et les dents, utile à la coagulation, essentiel à la neurotransmission, à la régularité du rythme cardiaque, facilite l'assimilation du fer	Produits laitiers, soja, sardine, saumon, arachides, graines de tournesol, haricots secs, légumes à feuilles vertes, tofu, amande, graines de sésame, brocolis	De 0 à 6 mois 350 mg De 6 à 24 mois 450 mg
CHROME	Oligoélément, pas de toxicité connue, se mesure en microgrammes (μg)	Utilisé pour la production d'un facteur de tolérance au glucose qui régule le taux de sucre sanguin et agit en synergie avec l'insuline ; apporte les protéines là où elles sont nécessaires, abaisse le taux de cholestérol, associé à la longévité dans certaines expériences	Fruits de mer, poulet, levure de bière, riz brun, pain de seigle, foie de veau, carotte, laitue, œuf, banane, chou, orange, haricot vert, champignon, panais, pomme, fraise, pomme de terre, lait, beurre	De 0 à 24 mois 10 à 60 μg
IODE	Oligoélément, pas de toxicité connue, mais un excès conduit à une hyperthyroïdie, se mesure en microgrammes (μg)	Utilisée par la glande thyroïde pour produire la thyroxine (une hormone), elle-même nécessaire au métabolisme et au fonctionnement mental	Algues alimentaires, fruits et mer et crustacés, légumes issus de sols riches en iode, sel iodé	De 0 à 6 mois 40 μg De 6 à 12 mois 50 μg De 12 à 24 mois 70 μg
FER	Oligoélément, peut être toxique à hautes doses, absorption facilitée par la vitamine C, se mesure en microgrammes (μg)	Nécessaire à la formation des globules rouges, à la production d'énergie, au métabolisme des vitamines du groupe B	Foie, viande rouge, jaune d'œuf, fruits à coque, asperge, flocons d'avoine, algues alimentaires, persil, figue, cerise, banane, avocat, riz brun, pomme de terre, petits pois, pruneau, graines de tournesol, raisins secs, noix, champignons, chou frisé, brocolis	De 0 à 6 mois 6 mg De 6 à 24 mois 10 mg

NOMS	CARACTÉRISTIQUES	EFFETS PRINCIPAUX	SOURCES ALIMENTAIRES	APPORT QUOTIDIEN minimum pour prévenir une carence
MAGNÉSIUM	Macrominéral, peut être toxique à hautes doses, détruit par certains médicaments, se mesure en milligrammes	Nécessaire au métabolisme du calcium, au cycle énergétique, participe à la lutte contre le stress, essentiel pour les fonctions nerveuse et musculaire, important pour la fonction mentale	Tous les légumes à feuilles vert foncé (la chlorophylle utilise le magnésium comme nous le fer), citron, pamplemousse, amande, graines, figue, maïs jaune, aubergine, raisins secs, noix du Brésil, carotte, champignon, crabe, tomate, ail, oignon, poulet, pomme de terre	De 0 à 6 mois 40 mg De 6 à 12 mois 65 mg De 12 à 24 mois 80 mg
MANGANÈSE	Oligoélément, toxicité rare, se mesure en milligrammes	Important pour la structure osseuse, utilisé par le cycle énergétique, nécessaire à la digestion, utile à la glande thyroïde	Fruits à coque, légumes à feuilles vertes, pois, betterave rouge, jaune d'œuf, céréales complètes	De 0 à 6 mois 0,3 à 0,6 mg De 6 à 24 mois 1 mg
SÉLÉNIUM	Oligoélément, toxique à hautes doses, facilement détruit par le raffinage, se mesure en microgrammes (µg)	Antioxydant important, permet l'utilisation de l'oxygène, donne leur élasticité aux tissus, renforce l'efficacité de la vitamine E	Germe et son de blé, thon, tomate, brocolis, noix du Brésil	De 0 à 6 mois 10 µg De 6 à 12 mois 15 µg De 12 à 24 mois 20 µg
ZINC	Oligoélément, peut être toxique à très hautes doses, se mesure en milligrammes	Nécessaire au métabolisme de toutes les protéines, à la croissance, à la réparation des cellules, à la production d'enzymes, essentiel pour les organes reproducteurs	Viande, graines de courge et de tournesol, germe de blé, œuf, levure de bière, sardine, poulet, concombre, noix du Brésil, carotte, avoine, seigle, chou-fleur, noix, amande, sarrasin, laitue, thon, baies, riz brun	De 0 à 12 mois 5 mg De 12 à 24 mois 10 mg

5

BIEN NOURRIR
SON ENFANT

On vous l'a dit et répété, vous puiserez tout ce dont vous avez besoin dans une alimentation équilibrée. Mais le même régime, si équilibré soit-il, convient-il à tout le monde ? Ceux qui l'affirment ont souvent peu de connaissances en nutrition. Y compris, hélas, de nombreux médecins dont la salle d'attente est parfois pleine de patients atteints de toutes les maladies dégénératives possibles. La vérité, c'est que la plupart des gens sont loin de suivre un régime même vaguement équilibré. Et les autres ont parfois des problèmes dus à la faible valeur nutritive des aliments.

QU'EST-CE QU'UNE ALIMENTATION ÉQUILIBRÉE?

L'idée reçue la plus répandue est que si votre enfant absorbe suffisamment de macro-nutriments (protéines, lipides et hydrates de carbone) et de calories, son régime sera automatiquement équilibré et assez riche en micronutriments tels que le zinc, le chrome et le sélénium. Mais rien n'est moins sûr, et il faut sans cesse remettre cette affirmation en question. Pour cela, vous devez examiner la qualité des protéines, des lipides et des hydrates de carbone consommés.

Une part suffisante des protéines est-elle d'origine végétale? Le régime de votre enfant est-il assez riche en acides gras essentiels? Les hydrates de carbone proviennent-ils en priorité de sources riches en fibres complexes, ou plutôt d'amidons simples? Les besoins caloriques d'un bébé de 7 à 9 mois s'élèvent à environ 800 calories par jour, ceux d'un enfant entre 1 et 2 ans à 1 200 calories. N'oubliez surtout pas que la qualité des calories compte autant que leur quantité. Veillez à ce qu'elles proviennent de sources saines, celles que je vous suggère dans cet ouvrage, et non d'aliments raffinés et traités.

DES STATISTIQUES INQUIÉTANTES

Plusieurs études l'ont prouvé, l'individu moyen consomme certains nutriments en quantités inférieures aux AJR (apports journaliers recommandés). On peut donc dire que, dans

L'ALIMENTATION DE L'INDIVIDU MOYEN

Les calories absorbées par la population moyenne ont la provenance suivante :
• 40 % d'origine lipidique
• 15 % d'origine protéique
• 45 % proviennent des hydrates de carbone, avec 25 % d'amidons et 20 % de sucres

Les recommandations officielles stipulent qu'une alimentation idéale se décomposerait ainsi, en calories :
• 30 % d'origine lipidique, dont 10 % de graisses saturées et 20 % de graisses insaturées
• 15 % d'origine protéique
• 55 % d'hydrates de carbone, dont 45 % d'hydrates de carbone complexes et 10 % de sucres

Pour les enfants, je recommande une alimentation légèrement plus grasse, en raison du besoin accru de calories au cours des premières années. Il suffit de choisir les bonnes graisses (voir page 46) et de ne pas perpétuer cette habitude à l'âge adulte.

En termes simples, voici à quoi ressemble l'alimentation idéale de l'enfant :
• 70 % de légumes, fruits, céréales, légumes secs, graines
• 30 % de poisson, viande, produits laitiers (ou leurs équivalents végétariens ou végétaliens) et lipides supplémentaires.

nos sociétés hypercaloriques, si l'individu moyen n'est pas sous-alimenté, il est certainement mal nourri.

Des études du ministère américain de l'Agriculture montrent que, sur une journée :

• 41 % des personnes ne mangent aucun fruit.
• 82 % ne mangent pas de crucifères (brocolis, chou, etc.).
• 72 % ne mangent pas de fruits ou de légumes riches en vitamine C (agrumes, poivron, etc.).
• 80 % ne mangent pas de fruits ou de légumes riches en vitamine A (carotte, légumes à feuilles, etc.).
• 84 % ne mangent pas de céréales riches en fibres.

En Grande-Bretagne, des études gouvernementales ont montré que :

• L'individu moyen est carencé en 8 vitamines et sels minéraux (sur un total de 13).
• Pour les nutriments suivants, il ne consomme qu'une fraction de l'AJR (indiquée en regard) :

zinc	53 %
vitamine D	56 %
fer	68 %
magnésium	78 %

• La consommation moyenne de vitamines B1, B2 et C est inférieure à leur AJR.
• 40 % de la population ne consomme pas assez de calcium, et 50 % est carencée en vitamine B6.

Toutes les autorités, y compris l'Organisation mondiale de la santé, recommandent de manger cinq portions de fruits et de légumes par jour. Or, depuis 1970, la consommation de fruits et de légumes a baissé de 30 % et on a remarqué que certains jeunes enfants n'en consommaient la quantité requise qu'une fois par an : lors du repas de Noël !

LA VARIÉTÉ EST LE SEL DE LA VIE

Mon argument principal est qu'il faut de la variété. Environ 80 % de notre alimentation provient de 11 produits seulement. Or la variété est nécessaire si l'on veut consommer le plus grand nombre de nutriments.

Pour que votre enfant absorbe le plus possible de vitamines et de sels minéraux, de fibres solubles et insolubles, de phytonutriments (substances chimiques issues des plantes et cofacteurs vitaminiques) et de bonnes graisses, il faut développer chez lui un sens du goût très étendu. Toutefois, ne vous en faites pas s'il traverse une phase pendant laquelle il n'accepte que les saucisses et les haricots. C'est très fréquent, et inoffensif à court terme. À long terme, il est bon de savoir sortir de ce genre d'impasse. La démonstration par l'exemple est la meilleure méthode : il est important de disposer d'un large assortiment de provisions, de proposer des mets inconnus et de composer des menus variés.

Si votre enfant mange des pétales de blé et du lait le matin, un sandwich au fromage sur pain complet le midi et des pâtes à la béchamel le soir, vous penserez peut-être que vous avez diversifié son alimentation. En fait, vous n'avez fait que lui offrir du froment et des produits laitiers à chaque repas, sans la moindre variété.

Supposons maintenant que vous ayez préparé des flocons d'avoine le matin, un sandwich au thon et à la tomate à midi et un plat de riz et de légumes le soir : vous auriez varié l'alimentation en proposant au moins trois céréales différentes, vous auriez réduit les produits laitiers et ajouté quelques légumes au menu. Le tout sans vraiment changer le type de plats ni vous donner trop de mal.

LE SUCRE ET L'ÉNERGIE : L'EFFET YO-YO

Cela vous étonne peut-être que j'aborde la question de l'énergie dans un livre sur les petits enfants. Nombreux sont les parents qui demandent grâce à la fin de la journée, devant l'énergie apparemment inépuisable dont fait preuve leur enfant.

Généralement, quand on a du mal à maîtriser le niveau énergétique d'un individu, il faut en chercher la raison du côté du taux de glucose sanguin, ou glycémie. Ce problème remonte souvent, hélas, à l'enfance.

Principal carburant de l'organisme, le glucose est le stade final de la digestion des hydrates de carbone raffinés ou complexes. Il est acheminé vers chaque cellule, y compris vers celles du cerveau, qui en consomment sans modération (30 %) par rapport à leur poids relatif à celui du corps (5 %). C'est dire si le cerveau est important. L'adulte a dans le sang l'équivalent de deux cuillerées à café de glucose. Chez l'enfant, la proportion dépend de son poids corporel. Si l'on rapproche ce chiffre des 8 cuillerées à café de sucre que contient une barre chocolatée, on comprend aisément où frapper si l'on veut maintenir un taux de glucose sanguin adéquat.

La différence entre hydrates de carbone raffinés et complexes (voir page 48), si importante, devient évidente si l'on sait que les ennuis com-

mencent quand notre taux de glucose sanguin s'élève trop rapidement. C'est le cas lorsqu'on absorbe des hydrates de carbone raffinés, surtout du sucre, dont regorge la barre chocolatée de tout à l'heure. Une hyperglycémie durable est dangereuse car elle peut conduire à un coma diabétique ; pour se protéger, l'organisme se met en état d'alerte et produit davantage d'insuline. Celle-ci abaisse la glycémie en enfermant le sucre dans des cellules. Si la situation se reproduit trop souvent, la production d'insuline se déclenche de plus en plus facilement et le taux de glucose baisse et remonte comme un Yo-Yo. Le soulagement le plus rapide en cas d'hypoglycémie est alors de reprendre du sucre.

Voilà pourquoi votre enfant réclame des boissons sucrées ou des bonbons à la moindre occasion. Il demande d'instinct ce qui le satisfait immédiatement. Malheureusement, cela ne fait que perpétuer le cercle vicieux et peut causer un trouble durable du contrôle de la glycémie.

Un éventuel déséquilibre glucidique se corrigera (ou sera évité) si vous respectez les conseils qui suivent. L'un des nutriments les plus essentiels au maintien de l'équilibre du glucose sanguin est le chrome dont est constituée la molécule centrale d'une substance nommée «facteur de tolérance glucidique». Cette substance, pro-

duite par le foie, améliore l'efficacité de l'insuline. Le magnésium et la vitamine B3 sont également très importants pour la maîtrise du glucose sanguin. On trouve du chrome dans les céréales complètes, la levure de bière, le poulet et les champignons ; du magnésium dans les légumes à feuilles vertes, les amandes et les pommes de terre avec leur peau ; de la vitamine B dans l'avocat, le poisson, le germe de blé et les dattes (voir pages 53, 56 et 57 pour d'autres sources de ces nutriments).

MAINTENIR L'ÉQUILIBRE GLUCIDIQUE

J'ai déjà dit qu'un déséquilibre glucidique était la cause de plus de misères et de symptômes chez l'adulte que n'importe quel autre trouble. Cela commence dès l'enfance. C'est pourquoi vous devez traiter ce problème en soignant l'alimentation de votre enfant, afin de lui garantir la meilleure santé possible et un régime sain.
Voici ce que vous pouvez faire pour éviter l'effet Yo-Yo ou sortir de l'engrenage :

• Offrez de petites collations fréquentes pour maintenir le taux de glucose sanguin à un niveau constant.
• Ne sautez jamais le petit déjeuner.
• Les repas et collations doivent comprendre un bon équilibre d'hydrates de carbone complexes (voir pages 48 et 103), de protéines et de lipides.
• Supprimez le sucre, le miel et les aliments sucrés : boissons toutes prêtes, gâteaux et biscuits. Consultez la liste des sucres cachés page 87.
• N'abusez pas des jus de fruits, ou, si vous ne pouvez les éviter, diluez-les largement. Les fruits secs doivent être consommés dans des limites raisonnables, ou bien mélangés à des protéines et à des hydrates de carbone complexes, ce qui permet de profiter de leur goût sucré sans faire monter la glycémie. Les fruits frais, eux, ne posent pas de problème, car leurs fibres permettent de ralentir l'absorption des sucres qu'ils renferment ; les jus de fruits ne contiennent pas de fibres.
• Limitez les plats tout prêts, car ils contiennent en général des hydrates de carbone raffinés.

L'ÉCHELLE GLUCIDIQUE

Voici une liste d'aliments classés suivant leur effet sur la glycémie par rapport au glucose pur. Celui-ci a un effet presque immédiat ; on lui a attribué l'indice 100. De manière générale, mieux vaut choisir pour votre enfant des aliments dont l'indice est inférieur à 60, et limiter la consommation de ceux dont l'indice est compris entre 61 et 100.

SUCRES					
Glucose	100	Baguette	70	**LÉGUMES SECS**	
Miel, confiture	87	Pain complet	69	Haricots blancs	36
Sucre blanc	75	Galette d'avoine	54	Pois chiches	36
Chocolat au lait	68	Pumpernickel	40	Lingots	31
Chocolat noir	22	**PRODUITS CÉRÉALIERS**		Haricots rouges	29
Fructose	20	Riz blanc	72	Lentilles	29
FRUITS		Biscuits	70	Soja	15
Pastèque	72	Pâtes	65	**PRODUITS LAITIERS**	
Raisins secs	64	Fond de tarte	59	Yaourt nature	36
Banane	60	Riz brun	50	Lait entier	34
Raisin frais	60	Pâtes complètes	42	Lait écrémé	32
Jus d'orange	46	Orge	22	**LÉGUMES CUITS**	
Orange	40	**PETITS DÉJEUNERS**		Panais	97
Pomme	39	Riz soufflé	90	Carotte	92
Jus de pomme	37	Pétales de maïs	80	Pomme de terre	70
PAINS ET BISCUITS		Biscuits au froment	75	Betterave rouge	70
Pain de mie blanc	95	Müesli	66	Igname	51
Galette de riz	82	Flocons d'avoine	49	Patate douce	48
		Son de riz	19	Maïs doux	48
				Pois	40

LES ENFANTS VÉGÉTARIENS OU VÉGÉTALIENS

Des études ont montré que les végétariens et les végétaliens étaient en meilleure santé et moins sujets aux maladies dégénératives. Je vous dois la vérité : ni moi ni mon fils ne sommes végétariens. Nous mangeons du poisson et du poulet, et un peu de viande rouge de temps en temps. Cela ne veut pas dire que je ne reconnaisse pas les bienfaits évidents dont jouissent la plupart de ceux qui évitent les produits d'origine animale. Il n'en reste pas moins que certains adultes et presque tous les enfants sont en meilleure forme s'ils consomment des protéines animales en quantité limitée.

Les végétariens suppriment toute viande, mais, selon leurs convictions, mangent parfois des œufs et/ou des produits laitiers. Les végétaliens, en revanche, n'absorbent aucun produit d'origine animale.

De temps en temps, on lit dans les journaux que les enfants soumis à un régime végétalien manifestent des carences et se portent moins bien que ceux de leurs camarades qui suivent un régime carné. À mon avis, si ces troublent surviennent, c'est parce qu'il ne suffit pas d'abandonner la viande. Oui, les végétariens en mauvaise santé sont légion. Se priver de viande et ne manger que des frites, des sandwichs au gruyère et des repas végétariens tout prêts n'est pas ce qu'il y a de mieux pour la santé, et pourtant c'est un travers répandu. Si, pour une raison ou pour une autre, vous décidez de devenir végétarien ou végétalien et d'appliquer cette décision à votre enfant, vous devez absolument en comprendre les risques et modifier votre alimentation en conséquence.

La diversité sera encore plus cruciale pour que votre enfant consomme une large gamme de nutriments. Par exemple, la viande rouge est riche en fer, en zinc et en vitamines B6 et B12. Si vous la supprimez, vous devez savoir dans quels aliments végétaux puiser ces nutriments vitaux. Consultez la liste ci-contre pour savoir lesquels sont les plus riches. L'enfant végétarien ou végétalien ne peut s'en passer.

Le régime végétalien peut sembler étrange. Pourtant, nous faisons tous de temps en temps un repas végétalien : les haricots verts à la provençale, les champignons à la grecque, le gaspacho en sont trois exemples. Il est vrai que certaines études de groupes végétaliens ont montré que, par rapport aux végétariens et à ceux qui mangent de la viande, les enfants sont légèrement plus petits et plus minces. Cela pourrait résulter d'un moindre apport calorique, d'une consommation moins élevée de certains nutriments ou, ce qui serait plus alarmant, du fait que ces enfants consomment nettement moins d'hormones de croissance artificielles que ceux qui mangent de la viande et des produits laitiers.

SOYEZ VIGILANT

Les risques de carence les plus élevés pour les végétariens et les végétaliens sont les suivants :

Zinc et fer La viande rouge en contient beaucoup.

Vitamine B6 Elle agit avec le zinc pour le métabolisme des protéines et se trouve souvent dans les mêmes aliments.

Vitamine B12 Un régime pauvre en vitamine B1 et riche en acide folique (c'est le cas du régime végétarien) peut masquer une carence en vitamine B12. Celle-ci peut mettre cinq ans à se déclarer, car tous les stocks de l'organisme doivent d'abord être épuisés.

Des recherches en cours tendent à montrer que la vitamine B12 d'origine animale est la seule que nous puissions utiliser. Mais le débat n'est pas clos.

Vitamine A Les nourrissons ne synthétisent pas aussi bien que les adultes le bêta-carotène d'origine végétale. La vitamine A provient d'aliments gras d'origine animale tels que le beurre, le jaune d'œuf, ainsi que le foie et les fruits de mer.

• Les fruits à coque frais non grillés (amande, noix du Brésil, noix, noix de pécan et noisette) contiennent des protéines, des acides gras essentiels, du calcium, du magnésium et du zinc.

• Les graines fraîches non grillées (tournesol, sésame) sont de bonnes sources de zinc, de calcium, de magnésium et d'acides gras essentiels.

• La vitamine B6 se trouve dans le germe et le son de blé, le melon, le chou et la mélasse noire.

• Les flocons d'avoine, les asperges, le riz brun, les champignons, les brocolis, le chou frisé, les petits pois et les pêches séchées sont de bonnes sources de fer.

• La prise de vitamine C au cours d'un repas végétarien riche en fer facilite l'assimilation de ce fer, qui est plus difficilement exploitable par l'organisme quand il provient de sources végétales. Un petit verre de jus d'orange suffit.

• Les algues alimentaires contiennent de nombreux oligoéléments, qui permettent de métaboliser plus efficacement d'autres nutriments ; elles sont précieuses pour les végétaliens.

• L'extrait de levure de bière, les céréales fortifiées et le lait de soja contiennent de la vitamine B12.

• Pour les ovovégétariens, les œufs apportent de bonnes quantités de zinc et de fer.

• Les arachides sont très protéiques et la plupart des enfants aiment le beurre d'arachide, à condition de ne pas y être allergique ; il s'agit d'une légumineuse et parce que la graine se forme sous la terre, la plupart des récoltes sont contaminées par des aflatoxines, c'est-à-dire des toxines issues de moisissures. Pour cette raison, mieux vaut en limiter sa consommation et ne choisir que des produits biologiques sans sucre ni sel ajoutés, et privilégier les pâtes à tartiner à base d'amande, de noix de cajou, de noix de pécan ou de graines de tournesol, en vente dans les magasins de produits naturels. (Voir page 96 pour plus de détails sur les allergies à l'arachide.)

LES PRODUITS LAITIERS EN QUESTION

En Occident, il va de soi que le lait est une partie essentielle de l'alimentation des jeunes enfants, alors même qu'en de nombreux points du globe le lait de vache n'y figure même pas. On nous a souvent répété qu'un enfant privé de lait souffrirait et lorsque nous passons du sein au biberon ou lorsque nous sevrons nos petits, c'est généralement pour leur donner du lait de vache sous une forme ou une autre : modifié pour le biberon ou entier pour les plus grands. Les recommandations officielles précisent aujourd'hui clairement de ne pas donner de lait de vache entier aux nourrissons de moins de 1 an.

On dit toujours que le lait est riche en calcium, dont les enfants en pleine croissance ont besoin pour construire leur squelette et leurs dents. Il est souvent présenté comme un aliment « complet » qui offre en quantités équilibrées protéines, lipides et hydrates de carbone, tout en étant une bonne source de calories.

Toutefois, devant l'impressionnante recrudescence de troubles infantiles tels que l'asthme, l'eczéma, l'otite séreuse et, ce qui est pire, le diabète, de plus en plus de pédiatres conseillent d'éliminer de l'alimentation des enfants le lait et les produits laitiers en général. En effet, ils sont clairement impliqués dans tous ces problèmes chez l'enfant intolérant. Et, pour semer un peu plus le trouble, d'autres médecins et professionnels de la santé continuent d'encourager les parents à donner du lait à leurs enfants après l'âge de la marche. Alors, qui a raison ?

Pour ma part, je suis fermement convaincue que les produits laitiers ne sont pas nécessaires à l'enfant, et que, consommés à l'excès, ils peuvent faire plus de mal que de bien. Même si certains bébés les tolèrent parfaitement, ce n'est peut-être pas le cas du vôtre. Si vous avez des soupçons, vous devez savoir ce qu'implique un régime exempt de produits laitiers pour votre enfant.

UN ALIMENT DESTINÉ AUX VEAUX

Le lait de vache est fait pour le petit de la vache et non pour le petit de l'homme. D'ailleurs, les êtres humains n'ont commencé à manger des produits laitiers qu'il y a environ dix mille ans, à peu près au moment où ils se sont mis à élever des animaux et à semer. Cela signifie que, d'un point de vue biologique, nous ne sommes pas faits pour consommer du lait. La caséine, protéine du lait de vache, est très dense et indigeste, et ne résiste pas à la comparaison avec celle du lait maternel, le seul qui soit fait pour nous. Même les veaux, après le sevrage, ne mangent plus que de l'herbe : ils n'ont nul besoin de lait pour grandir et forcir. Le lait de chèvre est un peu plus digeste. Quant au lait animal le plus proche du lait de femme, c'est le lait d'ânesse.

POURQUOI LE LAIT EST SUR LA SELLETTE

1 Il est indigeste. La caséine coagule en gros caillots au contact des acides de l'estomac, et ces caillots doivent à leur tour être fragmentés en molécules digestibles.

2 On estime qu'environ 7 % des bébés sont atteints d'une allergie aux protéines du lait de vache. Les nourrissons qui n'ont pas été exposés au lait maternisé à base de lait de vache au cours de leurs six à neuf premiers mois sont moins susceptibles d'être touchés.

3 Le lait peut causer des troubles chez les enfants intolérants qui manquent de lactase, une enzyme chargée de digérer le sucre du lait ou lactose.

4 Les produits laitiers favorisent la production de mucus, qui peut entraîner des rhino-pharyngites et des otites séreuses, deux affections qui touchent les jeunes enfants.

5 À cause de sa richesse en graisses animales saturées, le lait encourage la formation d'un sous-produit métabolique, l'acide arachadonique, inflammatoire à hautes doses. Le lait est de ce fait impliqué dans l'apparition de l'asthme et de l'eczéma, deux affections inflammatoires.

6 Enfin, certains chercheurs font actuellement des recherches pour savoir si les protéines du lait de vache sont un facteur déterminant dans le déclenchement du diabète insulino-dépendant infantile chez les sujets génétiquement prédisposés. Ce type de diabète, qui était jadis relativement rare, augmente au rythme de 10 % par an chez les enfants de moins de 5 ans. On a émis l'hypothèse que les protéines du lait de vache entraînent une réaction du système immunitaire qui détruit alors les cellules productrices d'insuline dans le pancréas. La question est encore à l'étude.

SE PASSER DE LAIT ET DE PRODUITS LAITIERS

Si vous avez choisi de ne pas consommer de lait ni de produits laitiers, votre principal souci sera sûrement d'éviter une carence en calcium. Toutefois, le calcium du lait n'est pas particulièrement bien assimilé par l'organisme, car il est trop concentré. Pour que le calcium soit utilisable, il doit être accompagné de magnésium. Or, le lait n'en contient pratiquement pas. Les aliments qui renferment un juste équilibre entre calcium et magnésium, celui qui permet un bon apport et une excellente assimilation, sont les légumes à feuilles vertes, comme le chou et les choux de Bruxelles, les graines germées, les fruits à coque et les graines que vous pouvez moudre pour les ajouter au repas de votre enfant. Une bonne alimentation diversifiée contenant beaucoup d'aliments frais procure presque à coup sûr du calcium en quantité suffisante, surtout pour un jeune enfant dont le métabolisme est conçu de manière à l'absorber au mieux. Si vous voulez être rassuré sur l'apport en calcium, consultez le tableau ci-contre des sources de calcium non laitier.

Il est intéressant de noter que nous n'assimilons le calcium absorbé qu'en fonction de nos besoins; les adultes en utilisent environ 20 à 30 %. Mais, en cas de plus grand besoin, comme pendant la grossesse ou l'enfance, nous exploitons jusqu'à 70 % du calcium ingéré. Notre corps dispose de mécanismes ingénieux qui régulent cette assimilation.

UNE EXCEPTION LE YAOURT

Le yaourt est l'exception qui confirme la règle. Les bactéries qui entrent dans sa composition digèrent le lactose et une grande partie des protéines du lait, ce qui le rend plus digeste. De nombreuses personnes souffrant d'intolérance au lactose peuvent manger des yaourts. De plus, le calcium y est plus facilement assimilable en raison de la présence de vitamines du groupe B, fabriquées par ces mêmes bactéries.

Je vous conseille de ne manger que des yaourts biologiques de culture vivante, de préférence sans fruits ni arômes. L'adjonction de fruits au cours de la fabrication fait généralement baisser le taux de bactéries. Il existe aussi des préparations au lait de brebis ou de chèvre, ainsi qu'au lait de soja. C'est en alternant tous ces produits que vous éviterez l'évolution de problèmes. Mais ne soyez pas trop dépendant des yaourts : un par jour au maximum. Ils sont délicieux sur des fruits et des desserts et se mélangent très bien aux plats salés, qu'ils rendent délicieusement crémeux.

La teneur calorique du lait et du fromage est souvent mentionnée parmi leurs avantages. Selon moi, ces aliments sont trop nourrissants pour les enfants, ils leur coupent l'appétit et les empêchent de manger d'autres aliments bénéfiques, qui apporteraient une gamme plus large de nutriments.

Quand à l'argument de l'aliment complet, il ne tient pas si l'on sait tirer d'une alimentation variée un bon équilibre de protéines, de lipides et d'hydrates de carbone : un assortiment de fruits, de légumes et de lipides bien choisis.

De nombreuses civilisations orientales évitent le lait et ses dérivés, et du moment qu'ils sont bien nourris, les Asiatiques n'ont pas de problèmes de squelette. Et même, plus tard dans la vie, ils souffrent beaucoup moins d'ostéoporose. J'ai connu beaucoup d'enfants, grands et bien développés, qui ne mangeaient pas de produits laitiers et se trouvaient en meilleure santé que la moyenne de leurs camarades, sans ressentir d'effets néfastes.

Si vous voulez donner des produits laitiers à votre enfant, les fromages les moins susceptibles de causer des symptômes indésirables sont le fromage blanc et les fromages de chèvre ou de brebis.

Les recettes de ce livre sont en général exemptes de produits laitiers, afin de vous donner une idée de la facilité avec laquelle on peut les éliminer de l'alimentation.

LES SOURCES DE CALCIUM NON LAITIER

Cette liste est délibérément longue afin de prouver la diversité de l'origine du calcium. Il est absurde de se limiter au calcium d'origine laitière. L'apport journalier recommandé pour un enfant en bas âge est de 350 à 450 mg.

ALIMENT	QUANTITÉ	TENEUR EN CALCIUM
Sardines	1 petite boîte	400 mg
Farine	100 g	200 mg
Saumon rose	1 petite boîte	150 mg
Tofu enrichi	100 g	150 mg
Lait de soja enrichi	100 ml	140 mg
Épinards cuits	100 g	75 mg
Brocolis	75 g	75 mg
Amandes	25 g	50 mg
Soja cuit	75 g	50 mg
Orange	1 moyenne	50 mg
Haricots rouges	75 g	50 mg
Mûres	100 g	35 mg
Poireau	50 g	30 mg
Chou	50 g	30 mg
Carotte	1 moyenne	25 mg
Dattes et raisins secs	35 g	25 mg
Œuf	1 gros	25 mg
Pain de mie complet	1 tranche	25 mg
Beurre d'arachide	2 cuil. à soupe	25 mg
Pomme	1 moyenne	20 mg
Haricots verts	50 g	20 mg
Kiwi	1 moyen	20 mg
Graines de tournesol	15 g	20 mg
Graines de courge	10 g	15 mg
Lentilles cuites	55 g	15 mg
Chou-fleur	50 g	15 mg
Poire	1 moyenne	10 mg
Melon	100 g	10 mg

"ENCORE DES LÉGUMES!"

Lorsque des parents se plaignent que leur enfant n'aime pas les légumes, je ne peux pas m'empêcher de penser qu'il les aimerait peut-être si on les lui présentait de manière plus savoureuse. Oui, les enfants aiment les légumes, mais pas tous, tout le temps. Ils n'aiment généralement pas les légumes fades et trop cuits ou amers. La nouvelle idée des producteurs agroalimentaires est de créer des « délices » tels que le chou-fleur au goût de chewing-gum ou la carotte au goût de haricots à la tomate. Leur raisonnement est très simple : s'ils ont « bon » goût, les légumes ne traînent pas dans l'assiette. J'ai quelques suggestions un peu plus naturelles.

Donnez des légumes doux Ils remportent tous les suffrages : carottes caramélisées, maïs doux, potiron, haricots mangetout, patates douces, courges butternut, poivrons rouges et panais.

Rendez-les invisibles Utilisez la ruse et ajoutez des légumes finement émincés dans une omelette fourrée, un plat de riz, un taboulé. Faites des légumes farcis : champignons, feuilles de vigne ou courgettes.

Râpez-les menu C'est un excellent moyen de faire figurer les légumes crus au menu. Râpez une carotte ou un concombre dans une purée, un ragoût, une soupe ou une sauce.

Faites des soupes épaisses Un potage trop liquide est difficile à manger pour un tout-petit. Essayez le gaspacho, le bortsch, le minestrone, le potage poireaux-pommes de terre ou au potiron. Ajoutez-y une cuillerée de yaourt pour le rendre crémeux.

Faites-vous végétarien Tentez l'expérience une ou deux fois par semaine. Il existe de très nombreux plats végétariens auxquels les papilles de votre enfant ne pourront résister : curry doux aux légumes, légumes sautés au wok avec du riz ou hachis Parmentier végétarien. Pour compléter les recettes de cet ouvrage, vous trouverez d'excellentes idées dans les livres de cuisine chinoise, indienne, thaïlandaise ou moyen-orientale).

Faites des sauces, des purées, des coulis C'est une autre façon de servir des légumes sans en avoir l'air. Tentez d'abord la sauce tomate, ou bien diluez des purées de légumes avec du bouillon aux herbes (voir index des recettes) ou de l'eau filtrée. Les résultats sont très bons avec les carottes, les brocolis, les champignons et les oignons.

Servez-les en entrée C'est à ce moment que votre enfant a le plus faim.

Déguisez-les en viande Les substituts végétariens sont généralement composés de mycoprotéines (issues des champignons), de soja et de légumes. Essayez-les sous forme de saucisses, de croquettes ou de galettes. N'en faites pas un mets régulier. S'ils n'offrent pas tous les avantages des légumes frais, ils n'ont pas non plus les inconvénients de la viande, car votre enfant mangera tout de même des fibres et des sels minéraux.

L'EAU
ET LES BOISSONS

Votre enfant a besoin d'eau. De nombreux parents pensent que les bébés n'ont pas besoin de boire et qu'ils trouvent tout ce qu'il leur faut dans le lait maternel ou maternisé. Je crois qu'il est bon d'apprendre à aimer l'eau, et un bébé peut très bien pleurer parce qu'il a soif et non faim. Satisfaire la soif en offrant de la nourriture (du lait) peut entraîner une confusion durable. On peut commencer à donner de l'eau après les dix premières semaines d'alimentation au biberon, et même les enfants au sein peuvent en tirer bénéfice, surtout l'été, lorsque le risque de déshydratation est accru. Votre bébé refusera peut-être au premier essai, mais si vous persévérez il finira par accepter de boire. L'eau ne remplit pas l'estomac et ne dilue pas les sucs gastriques : elle y passe trop vite pour avoir ces effets. Bien entendu, il faut la faire bouillir, puis la laisser refroidir, si elle est destinée à un enfant de moins de 6 mois. N'utilisez pas une eau de provenance douteuse quand vous êtes en déplacement. (Attention, l'eau a beau être saine, elle n'en est pas moins dangereuse en trop grandes quantités ; boire 16 à 24 verres en une heure est risqué pour l'adulte et serait mortel pour le nourrisson.)

Je trouve que l'eau du robinet n'est pas idéale ; elle contient souvent des polluants, dont le traitement des eaux ne vient pas à bout, et peut se charger de particules dans les canalisations. Il me semble indispensable d'utiliser au moins un filtre bon marché. L'eau distillée et l'eau minérale sont bonnes, à l'exception de l'eau gazeuse.

Les jus de fruits contiennent des vitamines et d'autres nutriments, mais plus vous éviterez de donner la « dent sucrée » à votre enfant, mieux cela vaudra. Rien ne justifie que l'on sucre l'eau avec des sirops ou des jus de fruits du commerce, et cela ne fait que nuire aux dents et au métabolisme du sucre.

Si vous tenez absolument à aromatiser l'eau, diluez-y un peu de jus de fruits frais. Cela vaut la peine d'acheter une centrifugeuse et de prendre l'habitude de faire des jus frais de toutes sortes, car ils sont merveilleusement riches en enzymes, en vitamines et en éléments phytochimiques. Les jus « frais » du commerce sont rarement vraiment frais ; il est invraisemblable que cette appellation puisse fleurir ainsi sur les emballages en toute impunité. Si vous trouvez des jus de fruits réellement frais, ne vous en privez pas ; ils sont plus chers, mais ils valent leur prix.

LES TISANES

Pourquoi ne pas préparer des infusions et les conserver au frais pour désaltérer votre enfant ? Il peut s'agir de menthe (verser de l'eau bouillante sur des feuilles fraîches, puis filtrer), d'infusion de citron, de gingembre, de verveine ou de camomille. Vous pouvez aussi acheter des infusions fruitées, qui, en plus d'être délicieuses, ont généralement une belle couleur rouge.

Pour défaire un enfant de l'habitude des boissons sucrées, j'utilise parfois, avec modération, une poudre édulcorante contenant des fructo-oligosaccharides. Il s'agit d'un sucre indigestible qui ne passe pas dans le sang. C'est aussi une bonne source de fibres et un bon milieu pour la flore intestinale, qui améliore la digestion en général. Une demi-cuillerée à café suffit à sucrer un biberon ou une tasse de boisson. Elle comporte en outre certains avantages nutritionnels et peut faciliter la réduction de la consommation de boissons sucrées. Je conseille de n'utiliser ce produit qu'après le sevrage. Il contient également de l'inuline, un composé présent par exemple dans les topinambours, qui peut causer des gaz chez certains enfants. La plupart la tolèrent bien, mais sachez que cette possibilité existe.

J'ai fait une découverte par hasard un jour que mon fils tendait la main pour avoir une boisson toute prête conditionnée en petite brique ; je me désolais que mes efforts paraissent ne servir à rien. J'ai fini par comprendre que ce qu'il voulait, c'était la paille. Depuis ce jour, j'emporte toujours une paille avec moi, et le problème est résolu.

LES ALIMENTS VIVANTS, SOURCE DE VIE

L'*Homo sapiens* évolue sur la planète depuis quatre cent mille ans. L'être humain moderne est apparu il y a quarante-cinq mille ans ; pendant la plus grande partie de ce temps, il n'a ni cuit ni transformé sa nourriture. L'homme est longtemps resté un chasseur-cueilleur, qui ne stockait presque rien.

Le plus gros bouleversement alimentaire ne date que de deux cents ans, avec l'avènement des cultures intensives, de la réfrigération et, plus récemment, des supermarchés, qui nous donnent accès à des aliments du monde entier.

Pour ce qui est du contenu de nos assiettes, le changement le plus important réside dans la quantité d'aliments cuits et transformés que nous consommons. La cuisson est évidemment une transformation. Lorsqu'on soumet un aliment à la chaleur, on en modifie forcément la structure moléculaire. Cela en diminue l'utilité pour notre corps, conçu pour un autre type d'alimentation. Les changements d'habitudes alimentaires ont été trop rapides pour que l'être humain ait le temps d'évoluer en conséquence. Pour des raisons sanitaires, il est important de bien cuire la plupart des aliments destinés aux enfants, afin d'éliminer tout risque de contamination bactérienne ou parasitaire. C'est pourquoi il n'est pas conseillé de donner du lait cru (non pasteurisé) ou des fromages au lait cru aux enfants et aux femmes enceintes. De même, il faut cuire toutes les viandes à point. Enfin, pour des raisons évidentes, nous cuisons les aliments qui ne peuvent se manger crus.

Néanmoins, plus les fruits, légumes et graines crus figurent au menu, mieux cela vaut. Tous contiennent en abondance des vitamines, des sels minéraux, des fibres, de l'eau et des enzymes. Le cuit est en quelque sorte « mort », tandis que le cru est « vivant ». C'est un peu caricatural puisque nous tirons tout de même bénéfice des aliments cuits, mais leur utilité est très amoindrie. Dans son ouvrage *L'Énergie du cru* (voir page 186), Leslie Kenton nous apprend que selon le Pr Werner Kollath, qui enseignait à l'université de Rostock dans les années 50, les aliments cuits ne peuvent nous apporter qu'une « méso-santé », c'est-à-dire qu'ils peuvent nous maintenir en vie mais nous conduisent, à long terme, à des maladies dégénératives. Ses travaux ont été corroborés par des nutritionnistes allemands et suédois, et si l'on considère les statistiques concernant la période écoulée depuis son époque, il semble qu'il ait eu raison.

LES ALIMENTS CUITS

C'est sûr, les aliments cuits ont bon goût, mais voici ce qui arrive au cours de la cuisson :

• La structure protéique est modifiée.
• Les lipides insaturés sont dénaturés.
• Les vitamines sont détruites en partie ou totalement.
• Les sels minéraux se dissolvent dans l'eau de cuisson.
• Dans certains cas, les hydrates de carbone complexes se transforment en hydrates de carbone simples (ex : le riz brun trop cuit).
• Dorer ou rissoler (c'est-à-dire brûler) les aliments produit des composés cancérigènes.
• Les enzymes utiles à la digestion sont tuées. (Par exemple, le lait cru est chargé de lactase, la viande crue de protéase, la graisse crue de lipase, etc. Si l'idée de manger crus certains de ces aliments vous dégoûte, songez aux sushis japonais, que vous aimez peut-être : ils vous apportent les enzymes digestives que contiennent leurs ingrédients laissés crus.)

LES PHYTONUTRIMENTS

Toute une nouvelle branche de la recherche scientifique se consacre aux phytonutriments. Il s'agit de l'étude des composés végétaux et de leur application à la thérapeutique. Ce secteur a aujourd'hui atteint le stade de l'expérimentation de pointe. Les recherches s'orientent non pas sur les nutriments essentiels connus (vitamines et sels minéraux), mais sur les milliers de composés non essentiels qui paraissent avoir des effets extrêmement bénéfiques sur la physiologie humaine.

L'aspect synergique du fonctionnement de ces composés est également intéressant : ils travaillent ensemble pour atteindre un résultat qui dépasse la somme de leurs capacités individuelles. C'est là l'une des grandes différences entre les thérapies nutritionnelles et pharmaceutiques. En pharmacie, on isole et on concentre des éléments, mais cela comporte des inconvénients ; il suffit de consulter la longue liste des effets secondaires et des contre-indications de la plupart des médicaments. Les phytonutriments, eux, même si on peut les isoler pour les étudier, sont accompagnés de facteurs améliorants contenus par la plante à l'état naturel, dont on bénéficie quand on la mange en entier, en général crue : le bêta-carotène est l'un des composants principaux de la carotte, mais celle-ci apporte en plus une large gamme de caroténoïdes qui en renforcent l'action.

Heureusement, il n'est pas nécessaire d'être savant pour profiter des effets des phytonutriments. Il suffit que vous et votre enfant mangiez suffisamment d'aliments crus.

LA PUISSANCE DES GRAINES

Sur le plan nutritionnel, la «plante potentielle» qu'est une graine est la source la plus concentrée de nutriments. Ceux-ci sont en effet rassemblés en vue de la formidable croissance qui transformera la graine en plante. Nous pouvons en profiter en mangeant des graines, des céréales, des haricots, des légumineuses, des fruits ou des racines.

En faisant germer des haricots, des légumineuses, des graines ou des céréales, on obtient un aliment bourré d'énergie et de nutriments. Une fois germée, la graine contient entre 200 et 2 000 % de nutriments en plus, et ce grâce à un simple arrosage.

La germination neutralise également certains des éléments les plus indigestes ou même légèrement toxiques. Elle élimine les inhibiteurs de trypsine et l'acide phytique qui se trouvent dans la graine non germée. Faire germer des graines soi-même est littéralement un jeu d'enfant. Les petits entre 1 et 2 ans dégustent des germes et des pousses avec plaisir, car ils sont faciles à saisir et ont un goût très sucré. Vous pouvez en parsemer vos plats pour augmenter l'apport nutritif du repas.

LE PLEIN D'ÉNERGIE

La germination multiplie la valeur nutritionnelle des céréales, des graines et des légumineuses. Par exemple, l'avoine germée voit sa composition modifiée de la manière suivante :

NUTRIMENT	AUGMENTATION
Vitamine B2	2 000 %
Biotine	50 %
Vitamine B5	200 %
Vitamine B6	500 %
Acide folique	600 %
Vitamine C	600 %

MANGER CRU, C'EST FACILE

Mettre quelques aliments crus au menu de chaque repas est une bonne habitude qui vous apportera des nutriments et des enzymes précieux. Avec un peu de réflexion, il s'avère très facile d'en servir à votre enfant.

Les crudités Les bâtonnets de carotte, concombre, céleri branche (retirez les filaments), poivron jaune ou rouge, les cubes d'avocat ou de fruits, la salade de fruits, les tomates-cerises, les bouquets de chou-fleur ou de brocolis, les champignons, les radis, tous sont parfaits pour les petites mains.

Les jus Les cocktails de jus de fruits et de légumes font des boissons merveilleuses. Essayez les mélanges carotte-pomme, tomate-concombre, pastèque-betterave, poire-céleri branche.

Les potages crus Le gaspacho, la soupe de concombre, la soupe de tomates crues et le bortsch cru sont des plats savoureux.

Les salades Le taboulé, la salade de tomates aux oignons et la salade de chou sont de bons choix. Goûtez aussi la salade arc-en-ciel : râpez séparément de la carotte, de la betterave crue (particulièrement savoureuse et rafraîchissante) et du concombre, et présentez le tout sur une seule assiette ; arrosez de jus de citron et éventuellement d'une goutte d'huile de noix.

Le houmous Il s'agit d'une purée de pois chiches au sésame. Essayez d'en faire avec des pois chiches germés et non avec des pois chiches cuits (voir index des recettes).

Les coulis et les milk-shakes De nombreux fruits se prêtent à ces préparations : la mangue, la pêche, la papaye, l'ananas, la banane, le cassis ou la framboise (réservez ces derniers aux plus de 6 mois, à cause des pépins). Si vous voulez éviter le lait de vache, préparez les milk-shakes à base de lait de soja, de riz ou d'avoine. Pour préparer

un coulis, passez simplement les fruits au mixeur et vous obtiendrez une délicieuse sauce fruitée.

Les graines et les fruits à coque frais moulus Pulvérisez des graines de courge et de tournesol, ou encore des pignons de pin, dans un moulin à café propre. Elles ont toutes un délicat goût de noisette. On peut en saupoudrer n'importe quel plat, depuis les légumes jusqu'aux soupes, en passant par les salades. Méfiez-vous si vous pensez que votre enfant y est peut-être allergique (voir page 96).

Les râpés et les émincés La teneur en cru d'un repas cuit est augmentée si on y ajoute des carottes, des pommes ou du concombre râpés, des oignons blancs ciselés, des germes de soja, de la ciboulette ou des herbes aromatiques détaillées aux ciseaux. Une petite moulinette à fines herbes est utile pour hacher les champignons crus, les oignons et la plupart des légumes. Pour écraser des tomates pelées, une fourchette suffit.

Les herbes aromatiques fraîches Depuis deux mille ans, les herbes aromatiques sont employées dans un but médicinal en raison de leur richesse en composés phytoprotecteurs. Dès que l'occasion s'en présente, saisissez votre moulinette, vos ciseaux ou votre hachoir et ajoutez-en au repas de votre enfant. Essayez le persil, la ciboulette, l'aneth, la menthe, le basilic, la coriandre, l'estragon, le thym et l'origan.

COMMENT FAIRE GERMER LES HARICOTS, LES LÉGUMINEUSES, LES GRAINES ET LES CÉRÉALES

Rassemblez d'abord le matériel nécessaire : un grand bocal en verre transparent à goulot large ou un saladier en verre, une mousseline ou un torchon, un grand élastique, une passoire, de l'eau filtrée et un vaporisateur plein d'eau.

Que pouvez-vous faire germer ? Du soja vert ou blanc, des pois chiches, des lentilles, de l'avoine entière, du tournesol, des graines de courge, de la luzerne, de la moutarde, du sésame, des haricots japonais (azukis), du blé, du seigle, de l'orge, du millet. La méthode est toujours la même, seuls les délais varient.

• Tout d'abord, lavez les graines, retirez-en les petits cailloux, les graines brisées et la terre. Rincez bien à l'eau courante. Ne prenez pas de grosses quantités, car le volume des graines va décupler. Après quelques tâtonnements, vous saurez les doser selon vos besoins. Cela ne vous reviendra pas cher, puisque la matière première est très abordable.

• Versez les graines dans le bocal et couvrez-les d'eau. Mieux vaut employer de l'eau filtrée, bouillie ou minérale ; les graines, qui absorbent une grande quantité de liquide, germent moins bien avec l'eau chlorée du robinet.

• Couvrez le récipient avec la mousseline maintenue par l'élastique et laissez tremper toute la nuit dans un endroit tiède et sombre.

• Le lendemain, jetez l'eau de trempage. S'il n'en reste plus, ajoutez-en un peu et laissez reposer encore quelques heures.

• Mettez les graines dans la passoire et rincez-les soigneusement à l'eau courante. Remettez-les dans le bocal après les avoir bien égouttées, car tout excès d'eau à ce stade les ferait pourrir. Remettez la mousseline et déposez le bocal au même endroit sombre et tiède.

• Répétez les opérations de rinçage et de trempage le soir et le lendemain matin. Au bout de trois à quatre jours, vous obtiendrez une multitude de jolies pousses que vous pourrez placer devant la fenêtre, à la lumière. Humidifiez-les avec le vaporisateur. Elles seront prêtes à l'emploi en cinq à vingt-quatre heures, dès que les feuilles auront verdi. Si vous voulez vous débarrasser de l'enveloppe des graines, mettez les pousses dans un saladier plein d'eau et agitez. Les peaux remonteront à la surface.

• Les pousses se conservent deux jours au réfrigérateur dans un récipient hermétique. Si vous vous prenez au jeu, vous pouvez faire germer différentes graines par roulement, de manière à ne jamais en manquer. Pour ceux qui préfèrent la facilité, de nombreux magasins de produits naturels et quelques supermarchés vendent des graines germées toutes prêtes.

LES ALIMENTS MIRACLES

Certains aliments sont connus pour leurs qualités nutritives et la protection qu'ils offrent contre les maladies dégénératives. Je vous conseille de faire figurer les aliments miracles ci-dessous au menu de votre enfant au moins une fois par semaine, dès que vous l'aurez habitué à manger une grande variété d'aliments. Les menus types pour les 15-24 mois (voir page 158) montrent combien il est facile d'y parvenir.

Cette liste n'est pas exhaustive, et le fait que, par exemple, les fraises, le cresson et les lentilles n'y figurent pas ne signifie pas qu'ils ne soient pas eux aussi bourrés d'énergie. J'ai choisi de présenter ceux dont les propriétés les plus intéressantes doivent être connues.

LES POMMES

Comme disent les Anglais : « Une pomme chaque matin éloigne le médecin. » Riche en vitamine C, elle contient également beaucoup de pectine. Ces deux nutriments stabilisent le taux de cholestérol. Certaines études ont même montré que, chez l'adulte, manger deux pommes par jour pouvait abaisser le taux de cholestérol de 10 %. La pectine est un détoxifiant puissant qui s'agglomère avec les métaux lourds, tels que le plomb, présents dans l'organisme, et les entraîne avec elle au moment de l'excrétion. Les pommes sont riches en acides malique et tartrique, dont le rôle est de neutraliser les sous-produits acides de la digestion et de lutter contre les protéines et les graisses en excès. Elles se râpent facilement au-dessus de n'importe quelle préparation.

LES ABRICOTS

De même que d'autres aliments de couleur orange (le melon, la courge, le potiron et le poivron jaune), les abricots sont riches en antioxydants, surtout en bêta-carotène et autres caroténoïdes. Ceux-ci protègent efficacement contre les infections, tout particulièrement les infections respiratoires. Ils contiennent du fer en abondance et accompagnent délicieusement les plats sucrés et salés.

LES BROCOLIS

À l'instar des autres membres de la famille des crucifères (chou blanc, chou vert, chou-fleur, choux de Bruxelles, radis, navet et cresson), les brocolis ont la réputation d'avoir des vertus. Les recherches de l'Institut américain de cancérologie ont établi un lien direct entre une forte consommation de ces légumes et une baisse des risques de cancer. Les composés actifs découverts dans les brocolis et leurs cousins sont, entre autres, les indoles et les caroténoïdes. De nouvelles recherches concernant les glucosinolates qu'ils renferment montrent qu'ils se transforment dans l'organisme en sulforaphane, substance puissamment anticancéreuse. Les brocolis sont aussi une bonne source de fer. Crus, les brocolis et le chou-fleur sont délicieux trempés dans une sauce froide. Vous pouvez en mettre dans un potage ou dans un ragoût. Enfin, les brocolis sont délicieux sauté à la chinoise, dans un wok, avec un peu d'huile de sésame et de sauce de soja.

LE RIZ BRUN

Le riz brun contient un composé, le gamma-oryzanol, qui possède des propriétés remarquables : il assure la santé du tube digestif et permet la normalisation de la production de sucs gastriques. Le riz complet non poli apporte une grande variété de nutriments, parmi lesquels le fer, le magnésium, les vitamines E et B6. Le riz brun est particulièrement efficace pour maintenir un taux constant de glucose sanguin et il figure souvent dans les régimes hypoallergéniques, car il est presque toujours bien toléré. (Vous trouverez des idées pour l'employer dans l'index des recettes.)

LES CHOUX

En plus des bienfaits mentionnés au paragraphe « Les brocolis », le chou nous apporte une substance nommée « cabagine », également connue sous le nom de vitamine U. Il protège contre les dérangements intestinaux, en plus d'être riche en vitamine C, en fer et en magnésium, grâce à sa haute teneur en chlorophylle. On pense qu'il

Il ne s'agit évidemment pas de l'huile de lin que les bricoleurs utilisent, mais du produit pur et non traité, issu des graines de la plante. Pour éviter qu'elle ne rancisse, l'huile de lin alimentaire doit être pressée à froid; elle s'achète en petites bouteilles opaques et se garde au réfrigérateur. Elle est riche en oméga 3 et en oméga 6, deux acides gras essentiels importants pour le fonctionnement cellulaire. Elle lutte contre les allergies, adoucit et assouplit la peau, protège la structure nerveuse et cérébrale, et stimule la production hormonale. Elle ne doit jamais être chauffée, mais elle s'emploie dans les salades, les plats tièdes à base de céréales ou de légumes, et les potages tièdes ou froids. Pour les jeunes enfants, une ou deux cuillerées à café par jour suffisent.

jouerait un rôle protecteur contre les radiations. Une salade de chou faite maison (voir index des recettes) permet de le manger cru, ce qui vaut bien mieux que de le faire bouillir longuement. La choucroute, préparée à partir de chou blanc lactofermenté, nettoie le tube digestif et rééquilibre la flore intestinale.

LES CAROTTES

Avec une seule carotte, un adulte prend d'un coup assez de bêta-carotène pour atteindre sa ration journalière de vitamine A. Riches en caroténoïdes de toute sorte, les carottes renforcent le système immunitaire, soulagent les infections respiratoires, entretiennent la beauté de la peau et promeuvent le bon fonctionnement des yeux. Il a été prouvé qu'elles protégeaient contre certains cancers, grâce à leur teneur en antioxydants comme les vitamines C et E. Les bâtonnets de carotte sont agréables à grignoter. La carotte crue râpée s'incorpore facilement à de nombreux plats.

LE GIBIER

La viande rouge est une source importante de fer, de zinc, de vitamines B6 et B12. Hélas, elle est aussi lourdement chargée de graisses saturées, responsables de cancers, de maladies cardio-vasculaires et des maladies inflammatoires telles qu'eczéma, asthme, psoriasis et arthrite. L'avantage du gibier est qu'il est par définition élevé en liberté et que l'alimentation des animaux sauvages est radicalement différente de celle des bêtes d'élevage; leurs graisses ont donc une tout autre composition. Le gibier contient moins de 4 % de graisses saturées. Il est également exempt de produits chimiques, y compris d'antibiotiques et d'hormones de croissance, si abondants dans la viande de boucherie. Au risque d'émouvoir les cœurs sensibles, je précise qu'il faut toujours bien veiller à retirer tous les plombs qui pourraient se trouver dans la chair des animaux tués à la chasse. Le gibier peut remplacer la viande rouge dans n'importe quelle recette.

L'AIL ET LES OIGNONS

L'ail a fait l'objet de recherches poussées, qui ont révélé les raisons de sa réputation exceptionnelle dans la pharmacopée traditionnelle de plusieurs cultures. C'est un antiviral, un antifongique et un antibactérien, efficace dans la lutte contre les infections pulmonaires et urinaires, l'arthrite, et même les maladies cardio-vasculaires et le cancer. L'allicine et l'alliine, ses composés actifs, sont à l'origine de son odeur forte.

L'ail participe aussi activement à l'oxygénation des cellules, ce qui en décuple les vertus thérapeutiques.

L'oignon partage la plupart de ses facultés avec l'ail, mais il en possède quelques autres bien à lui : il combat l'asthme, l'anémie et l'arthrite, et abaisse le taux de glucose sanguin. Ail et oignon renferment des acides aminés soufrés qui débarrassent l'organisme des métaux lourds. Toute la famille de l'oignon, y compris la ciboulette, les oignons blancs et les échalotes, possède des qualités similaires.

LE RAISIN

On apporte souvent du raisin aux malades, et on a raison. Il est très dépuratif et combat une quantité de maux : l'anémie, l'arthrite, la goutte, les rhumatismes. Il semble être un bon régénérateur pour les sujets fatigués et les convalescents. Les naturopathes s'en servent régulièrement pour vaincre les troubles urinaires, cutanés et inflammatoires. Le raisin étant abondamment pulvérisé de produits chimiques, il faut le laver avec beaucoup de soin. Ajoutez un trait de vinaigre dans l'eau afin de dissoudre les produits cireux qui le recouvrent, puis rincez bien.

LA MÉLASSE

La mélasse noire est un résidu du raffinage du sucre de canne. Crue, elle est très riche en vitamines du groupe B, en potassium et en fer. Elle contient même davantage de calcium que le lait ! Le sucre blanc, lui, est exempt de tous les nutriments nécessaires au métabolisme. La mélasse est la somme de tout ce dont le sucre blanc est privé. Elle n'en est pas moins très sucrée et ne doit être utilisée qu'avec modération, pour la cuisine et les céréales du petit déjeuner. Il faut s'habituer à son goût très particulier.

LES CHAMPIGNONS

Ils constituent une source précieuse de protéines végétales, de vitamines et de sels minéraux. Les variétés les plus exotiques, comme les shitakés, les maïtakés et les reishis, ont fait l'objet de nombreuses recherches qui ont mis en évidence leurs vertus, en particulier leurs propriétés antivirales, anticholestérolémiques, antiallergéniques, antioxydantes, antibactériennes et immunitaires. Finement émincés dans un petit hachoir avec du persil, ils peuvent être ajoutés aux plats de riz ou de céréales, aux farces à la viande et à la sauce tomate.

L'AVOINE

L'avoine complète a une très bonne réputation d'aliment bénéfique. Il a été prouvé qu'elle abaisse le taux de cholestérol et des autres lipides sanguins. Elle régularise également la glycémie, et contient en abondance une forme de fibre soluble qui protège l'intestin et l'estomac. L'avoine apporte, en plus des graisses polyinsaturées, de la vitamine E, des vitamines du groupe B en quantité non négligeable, du calcium, du magnésium, du potassium et de la silicone, tous éléments utiles pour le squelette et les dents. Les classiques flocons d'avoine à cuire sont les meilleurs, préférables aux variétés modernes instantanées, qui, raffinées, apportent moins de nutriments. Les flocons d'avoine ne servent pas qu'à faire du porridge : étalés à la surface des plats sucrés ou salés, ils gratinent et croustillent merveilleusement bien.

LES POISSONS GRAS

Les poissons gras sont : le maquereau, la sardine, le saumon, le pilchard, la truite rose, le thon, l'anchois, le hareng et le requin. Ils apportent un lipide essentiel de la série des oméga 3, l'acide écosapentaénoïque (EPA), utile à la construction des tissus cérébraux et nerveux. Des tests ont montré que l'EPA est bénéfique pour la santé cardiaque et soulage les troubles inflammatoires tels que l'arthrite et certaines maladies de peau. Même le poisson en conserve en contient.

L'HUILE D'OLIVE

Pivot de la cuisine méditerranéenne, l'huile d'olive a fait l'objet de nombreuses études qui ont dévoilé son rôle dans la protection contre les maladies cardio-vasculaires et le cancer. Elle est très riche en antioxydants : vitamine E et phytonutriments, notamment. Elle facilite le péristaltisme (les mouvements intestinaux), améliore la digestion et lutte contre la constipation. Exigez une huile qui porte la mention « Huile d'olive vierge extra, première pression à froid », car c'est sous cette forme qu'elle contient le plus de substances intéressantes.

LA PAPAYE ET L'ANANAS

Ces délicieux fruits tropicaux, s'ils sont frais, sont riches en enzymes précieuses pour la digestion : la papaïne et la broméline, qui fragmentent efficacement les protéines. La broméline est même capable de digérer jusqu'à mille fois son poids de protéines ! Elle permet aussi de rétablir dans l'organisme l'équilibre entre les acides et les bases. Ces deux fruits débarrassent la paroi intestinale des tissus morts. Dès que la saison revient, il faut absolument manger des papayes et des ananas.

LES ALGUES

Les végétaux marins sont une bonne source d'iode, essentiel au bon fonctionnement de la glande thyroïde. Ils regorgent de vitamine K, de chlorophylle et d'acide alginique, très détoxifiant, et apportent une série d'oligoéléments dont nous avons besoin, en infimes quantités certes, pour entretenir notre vitalité. Le moyen le plus facile d'en faire manger à un enfant est d'utiliser des flocons de nori ou des algues en poudre. Celles-ci se servent en condiment, leur goût léger et aromatique allant bien avec la plupart des plats salés.

LES GRAINES

Les graines de tournesol, de courge et de sésame sont de véritables bombes énergétiques : elles rassemblent les vitamines et les sels minéraux destinés à la plante qui doit en sortir. Elles sont idéales à grignoter. Elles sont riches en oméga 6, et, dans le cas des graines de courge, en oméga 3. On y trouve aussi du zinc, du magnésium et du calcium. Elles doivent être dégustées fraîches et non grillées. Achetez-les en petites quantités pour qu'elles ne rancissent pas. Pour les jeunes enfants (voir page 98), il suffit de les hacher pour obtenir une poudre au goût de noisette à saupoudrer sur les plats salés ou sucrés. C'est d'ailleurs ainsi que l'on absorbe le mieux leurs nutriments.

LES GRAINES GERMÉES

Elles sont faciles à préparer à la maison (voir page 75). Le germe est la matérialisation du potentiel de la graine : il est plus riche en nutriments que la graine elle-même ou que la plante adulte. On y trouve des phyto-enzymes qui viennent renforcer nos propres réserves d'enzymes. Les graines germées sont probablement l'aliment parfait. Parsemez-en vos préparations pour leur donner du croquant ou servez-les dans un bol comme des crudités nature.

LE YAOURT

Je parle ici du yaourt nature biologique de culture vivante, et non des variétés sucrées ou aux fruits, biologiques ou non, qui n'en sont que les parents pauvres. Le yaourt est riche en bactéries : *Lactobacillus bulgaricus*, *Streptococcus thermophilus*, *Lactobacillus acidophilus*, *Bifidus bifidum* (bien que ces deux derniers ne donnent pas droit, en France, à l'appellation «yaourt»). Ces bacilles contribuent à l'équilibre de la flore intestinale. Si le yaourt est plus digeste que le lait, c'est parce que les bactéries ont déjà fragmenté la plus grande partie des protéines et des sucres qui causent parfois des troubles. Certains allergiques ne digèrent même pas le yaourt, mais ils peuvent essayer les préparations au lait de brebis, de chèvre ou de soja. La plupart des gens peuvent en consommer sans encombre. Le yaourt est délicieux en nappage sur les fruits ou les desserts, peut remplacer la mayonnaise et, ajouté dans les plats salés à la dernière minute, donne une sauce crémeuse à souhait.

LES PRODUITS BIOLOGIQUES

Nous avons la chance de disposer d'une certaine abondance alimentaire. Entrez dans un supermarché ou chez un primeur, et vous verrez une impressionnante sélection de beaux produits rebondis et juteux. Même hors saison, on trouve de tout, grâce à des importations venues de tous les pays. Tout cela est merveilleux à première vue… mais qu'est-ce qui se cache derrière cette belle image ?

Pour nous donner tous ces beaux légumes, les méthodes agricoles ont été modifiées de manière à améliorer l'apparence des produits, souvent au détriment de leur goût et de leur contenu nutritif. Pesticides et engrais sont déversés sans retenue dans les champs ; certaines cultures sont aspergées plusieurs fois de cocktails chimiques. Or ces substances ne se contentent pas de se déposer à la surface des fruits et des légumes, car ceux-ci en sont arrosés depuis le premier stade, alors qu'ils sont encore en formation : les produits chimiques deviennent partie intégrante du végétal. Ils se concentrent pour la plupart juste sous la peau et, bien qu'il soit dommage de peler les fruits et les légumes, puisque c'est aussi là que se trouvent de nombreux nutriments, c'est un geste de bon sens. Les fruits importés ont parfois des teneurs en vitamines un peu modifiées, car ils sont cueillis verts et mûrissent au cours du transport, parfois sous l'action de gaz. Les délais de transport et de stockage, qui peuvent avoisiner trois semaines entre la cueillette et la livraison, ne contribuent pas à améliorer leur valeur nutritive. Les fruits et légumes d'importation comportent un autre danger : certains produits chimiques interdits en Europe sont en usage dans d'autres pays. C'est le cas du DDT, qui, bien qu'interdit dans le monde développé, est toujours employé pour traiter les récoltes dans certaines régions du tiers-monde.

Pour toutes ces raisons, de nombreux consommateurs aimeraient acheter des produits issus de l'agriculture biologique, mais ils sont découragés par leur prix plus élevé, leur taille modeste et leur aspect peu séduisant, par la pauvreté de l'offre, due à des saisons de culture plus courtes, et, injure suprême, par le fait qu'il faille parfois partager sa laitue avec une chenille. Ils se plaignent souvent que les produits biologiques se gâtent plus vite que les autres.

LE JEU EN VAUT-IL LA CHANDELLE ?

Sous la pression d'une demande croissante, la distribution et la disponibilité des produits biologiques se sont considérablement améliorées et les prix commencent à baisser. Je crois que cela vaut la peine de payer un peu plus pour s'assurer une alimentation exempte de substances chimiques. Notre foie a déjà assez à faire avec la pollution. J'aime manger des produits de saison, et il est bien agréable de trouver quelques surprises dans le colis que me livre chaque semaine mon fournisseur. Si les légumes sont quelquefois moins beaux, leur goût fait toute la différence. Manger une tomate qui a un goût de tomate, et non une pulpe fade, savourer des épinards au goût sucré et non amer justifient la dépense supplémentaire.

Le souci principal reste le contenu nutritionnel des aliments. Avec les anciennes méthodes d'évaluation, on ne percevait que peu de différence entre les produits bio et les autres. La recherche moderne a prouvé que les aliments biologiques contenaient en moyenne deux fois plus de nutriments.

Qu'en est-il du lait et de la viande ? Les animaux d'élevage, y compris les poissons, reçoivent une alimentation radicalement différente de celle qu'ils auraient en liberté. La composition de leur chair, surtout leur composition lipidique, est loin d'être idéale. Nos ancêtres, qui se nourrissaient du produit de leur chasse, puisaient dans leur alimentation une bonne dose d'acides gras essentiels. Ce n'est pas le cas de nos contemporains, car aujourd'hui la viande ne nous fournit plus guère que des graisses saturées.

En fonction de l'exploitation où les bêtes de batterie ont été élevées, leur viande peut contenir des hormones (y compris des hormones de croissance), des substances agrochimiques provenant de leur nourriture et des antibiotiques. Selon une estimation, la moitié de notre consommation d'antibiotiques provient de la viande, des produits laitiers et des œufs que nous mangeons ; ils sont utilisés pour accélérer la croissance des animaux. Les implications de ces apports importants d'antibiotiques sont énormes pour nous, en termes de résistance à la maladie et de santé intestinale. Le gibier véritablement sauvage n'est pas touché par ces problèmes et peut nous fournir des acides gras essentiels.

Il est intéressant de constater que les animaux d'élevage biologique voient leur fertilité augmenter en trois générations ; rappelons que la population humaine est actuellement frappée par une baisse de la fertilité. La viande et les produits laitiers biologiques sont désormais faciles à trouver. Les prix sont légèrement plus élevés, mais si vous réduisez quelque peu vos achats de viande pour augmenter votre consommation de légumes, votre budget en souffrira moins – oui, le jeu en vaut la chandelle. (Voir la liste des fournisseurs page 186.)

LE FOIE

Le foie est vraiment un aliment remarquable en raison de sa grande richesse en de nombreux nutriments. En effet, c'est lui qui abrite les substances dont l'animal fait provision. Il abonde en vitamines A, B et K (foie de porc), ainsi qu'en oligoéléments : fer, chrome, cobalt, cuivre, sélénium et zinc. On dirait la formule d'un supplément vitaminé ! Le foie a bien d'autres fonctions, dont l'une des plus importantes est de désintoxiquer le corps des produits chimiques qui s'y trouvent. Hélas, cela signifie qu'en plus d'être un gisement de nutriments, il est aussi saturé de polluants. Tous les traitements agricoles répandus dans les prairies où broutent les animaux, tous les antibiotiques, tous les agents de croissance déversés dans leur nourriture ou leur boisson passent tôt ou tard dans leur foie. Alors, que faire ?

Si vous n'achetez qu'un seul produit issu de l'agriculture biologique, il faut que ce soit celui-là. Je trouve dangereux de donner aux enfants du foie provenant d'autres sources. C'est évidemment bien dommage, compte tenu de ses bienfaits. Si vous n'aimez pas sa consistance, servez-le en pâté (voir page 153) ou froid avec une sauce pour les hors-d'œuvre.

Attention : ne donnez pas trop souvent de foie à votre enfant, car il est si riche en vitamine A que vous pourriez dépasser l'apport recommandé. Deux fois par mois à partir de l'âge de 9 mois me semble idéal.

BIEN MANGER SANS SE RUINER

On entend souvent dire qu'une alimentation saine coûte les yeux de la tête. Cette affirmation absolument fausse n'est qu'un prétexte pour ne pas faire d'efforts. Je ne nie pas que bien manger représente plus de travail que réchauffer un plat surgelé, mais le résultat en vaut la peine, à la fois pour la formation du palais de votre enfant et pour sa santé.

Les aliments bon marché qui peuvent figurer sur la liste des parents soucieux de la santé de leur enfant sont nombreux.

Les légumes secs, haricots et céréales sont particulièrement nutritifs, nourrissants et abordables. Par rapport à d'autres sources protéiques, la viande par exemple, ils coûtent bien moins cher. Le choix est très large : lentilles corail, vertes ou blondes, pois chiches, cornilles, lingots, haricots rouges, flageolets, etc. Certaines céréales nous sont plus familières : riz brun, avoine, blé complet, seigle, maïs et orge, mais vous ne connaissez peut-être pas le sarrasin, le quinoa et le millet.

Les fruits et légumes de saison sont très avantageux. Les légumes racines sont en général bon marché, rassasiants et nutritifs. Les oignons, qui ne coûtent pas cher, peuvent réveiller toutes sortes de préparations. Ils appartiennent aux aliments miracles (voir page 77). À certaines époques de l'année, l'abondance est telle que ces produits sont pratiquement donnés ! Si vous avez du temps et de la patience, profitez-en pour congeler en quantité des légumes blanchis : haricots verts, courgettes, brocolis, chou-fleur, rhubarbe, ainsi que des fruits tels que les pommes, prunes et baies variées, pour les tartes et les coulis.

Certains poissons sont nettement moins chers que d'autres : le maquereau, le hareng et les sardines sont particulièrement raisonnables. Faites des réserves de poisson congelé : il se garde bien, conserve ses qualités nutritives et se cuit en dix à quinze minutes une fois décongelé. N'oubliez pas que les poissons gras sont des aliments miracles (voir page 78).

Utilisez le congélateur à bon escient toute l'année pour conserver des portions de ragoûts. Il suffit d'en préparer une quantité plus importante, puis de congeler le reste en parts individuelles. Mettez-y des ingrédients économiques, des haricots ou des légumes secs par exemple. Il est à la fois plus facile et plus rapide de sortir un sac du congélateur que d'aller chercher et de réchauffer un plat du commerce.

Une semaine de menus économiques

PETITS DÉJEUNERS

Porridge aux raisins secs
Œuf coque et mouillettes de pain complet
Müesli* maison et fruits de saison
Riz brun au lait de soja, pomme râpée
   et noix de coco séchée
Tartines avec du beurre d'arachide
Bouillie de quinoa et de millet*
Yaourt à la banane écrasée et au riz

DÉJEUNERS

Soupe aux lentilles et aux tomates,
   pain de seigle
Sardines sur tartines de pain complet grillé
Houmous* maison et bâtonnets de crudités
Salade de chou* et galettes à l'avoine
Potage poireaux-pommes de terre
Pomme de terre au four* garnie
Haricots verts à la provençale et saucisses
   végétariennes
Pâtes en sauce aux champignons et aux oignons*

DÎNERS

Orge aux épices*
Légumes racines rôtis au riz brun
Chili doux au quinoa*
Choux de Bruxelles au citron*, quinoa
   aux carottes
Curry de poisson au lait de coco*
Ragoût de haricots à l'ail*
Maquereau à la provençale* aux légumes

DESSERTS

Pomme au four fourrée aux pruneaux
Crème de banane*
Yaourt et fruits de saison
Entremets des pionniers*
Pain perdu à la cannelle (au pain complet)
Banane au four et yaourt
Gâteau aux pommes*

* *Voir index des recettes*

6

ALIMENTATION : LES RISQUES À ÉVITER

Qu'il serait agréable d'écrire un livre où il ne serait question que des aspects positifs d'une alimentation naturelle ! Malheureusement, notre corps doit se défendre contre des métaux toxiques que la pollution fait figurer à notre menu, contre l'excès de sel, de sucre et de matières grasses hydrogénées qu'affectionnent tant les industriels de l'agroalimentaire, et contre environ 3 000 produits chimiques utilisés comme additifs.

POURQUOI AIMENT-ILS TANT LE SUCRE, LE SEL ET LES MATIÈRES GRASSES?

La petite guerre qui oppose les préférences des enfants (chips, bonbons, gâteaux, pizza) au choix des parents (fruits, légumes, repas équilibrés) a de beaux jours devant elle. Les industriels savent bien que nous sommes prédisposés à aimer le sucré, le salé et le gras, et ils en profitent allégrement. Ce qui n'était qu'un mécanisme naturel de survie est devenu le point faible sur lequel comptent les techniciens de l'agroalimentaire.

Les aliments d'aujourd'hui ont une composition bien différente des repas d'il y a seulement cent ans. Les supermarchés proposent un choix infini de produits dont l'emballage attrayant vante les innombrables qualités : produits allégés, pauvres en sucre, riches en fibres…

Dans ce domaine comme dans d'autres, céder de temps en temps ne peut pas faire grand mal, mais les fabricants se coupent en quatre pour créer des produits dont nous et nos enfants redemanderons à coup sûr. Il existe en particulier une multitude de produits « à valeur ajoutée » : ajoutez du sucre et des matières grasses, et la valeur (le prix) s'envolera ! Il est vrai que le sucre, le sel et les matières grasses ont bon goût.

Tout un pan de l'industrie agroalimentaire est consacré à la création de nouvelles spécialités qui flattent nos penchants naturels. De plus, et c'est un bonus pour les fabricants, ces aliments se conservent longtemps et sont constitués d'in-grédients bon marché. Tout cela s'avère très rentable pour qui veut investir dans cette branche. De nombreuses marques sont spécialement adaptées aux préférences des enfants, tout en séduisant les parents qui veulent aller vite sans se donner trop de mal. Là encore, des mentions bien étudiées telles que « allégé » ou « sans sucre » sont souvent employées. À côté de cela, il existe des en-cas rapides, sains et savoureux. Vous en trouverez une liste page 103.

LE SUCRE

Deux théories expliquent pourquoi nous aimons le goût du sucre. Selon la première, nous avons hérité ce mécanisme de survie de nos ancêtres chasseurs-cueilleurs, car les baies et les fruits sucrés sont rarement vénéneux, contrairement aux fruits amers. L'autre explication est que étant faits pour consommer des hydrates de carbone, nous convoi-tons d'instinct les racines et les fruits les plus sucrés. Le meilleur moyen de satisfaire cette pro-pension et de maîtriser notre désir de sucré est de manger beaucoup de fruits savoureux.

Les industriels ont inversé les effets béné-fiques de ce mécanisme en raffinant les sucres, ce qui en a fait des poisons qui agissent lente-ment. Le sucre est véritablement le problème numéro un des parents soucieux de la santé de leurs enfants. Nous savons tous qu'il faut limiter la consommation de jus de fruits et de boissons

LES SUCRES CACHÉS

PRODUIT	PORTION	CUILLERÉES À CAFÉ DE SUCRE CACHÉ
Yaourt aux fruits	150 g	4
Haricots à la tomate	225 g (une boîte moyenne)	2½
Maïs doux en boîte	100 g	2
Ketchup	10 g (2 cuil. à café)	½
Pétales de maïs	30 g (3 cuil. à soupe)	½
Soupe de tomates en boîte	200 g (1/2 boîte)	1
Soupe de tomates en sachet	20 g (1/4 sachet)	2
Crème glacée	50 g (1 boule)	2
Confiture	15 g (2 cuil. à café)	2½
Boisson basses calories (préparée avec des sucres et non avec des édulcorants de synthèse)	40 ml (1 verre, dilué)	½

Le sucre se cache aussi derrière les mots. Guettez les noms suivants : glucose, maltose, sucrose, dextrose, lactose, galactose, fructose, amidon hydrolysé, sucre inverti, miel, jus de fruits concentré – pour n'en citer que quelques-uns.

sucrées de nos petits afin de préserver leurs dents, mais le sucre est néfaste pour tout l'organisme. Prenons du recul : le sucre est un conservateur. Pourquoi introduire un conservateur dans un corps en pleine jeunesse ?

Le sucre ne contient ni vitamines ni sels minéraux qui puissent aider l'organisme à l'exploiter. Par exemple, nous avons besoin de chrome pour métaboliser le sucre ; or, non seulement le sucre n'en contient pas, mais il provoque une perte de chrome par voie urinaire. C'est ainsi que certaines personnes qui en consomment beaucoup sont gravement carencées en chrome. Les calories qu'il apporte ne contiennent rien qui permette de les métaboliser, ce qui signifie que l'organisme doit puiser dans ses réserves pour y parvenir.

Ceci nous mène à une autre conséquence de la consommation excessive de sucre : une glycémie incontrôlable (voir page 62). Dans les cas extrêmes, elle peut conduire, chez l'adulte, au diabète, en pleine recrudescence de nos jours. Le diabète est purement et simplement un trouble de l'alimentation, toujours soulagé par un faible apport en sucre dès le plus jeune âge. Parmi les autres complications de l'abus de sucre, signalons l'obésité, l'ostéoporose (le sucre accélère l'excrétion du calcium), le déficit immunitaire et les maladie cardio-vasculaires.

En Grande-Bretagne et aux États-Unis, le consommateur moyen avale environ 45 kg de sucre pur par an. En France, nous n'en mangeons que 7 kg, ce qui prouve bien que certaines attitudes culturelles envers la nourriture peuvent tout changer. Ce fameux sucre est souvent caché dans les aliments les plus divers. Le tableau ci-dessus vous donne une liste des sucres cachés pour les produits que les enfants mangent couramment.

LE GOÛT DU MIEL

Nombreux sont ceux qui préfèrent utiliser du miel en croyant faire un choix plus sain. Mais, bien qu'il contienne certains oligo-éléments qui pourraient être utiles, le miel est métabolisé à peu près comme le sucre et a les mêmes effets sur les dents. En raison d'un faible risque de botulisme, mieux vaut l'éviter totalement avant l'âge de 1 an, car les bébés ne possèdent pas les bactéries intestinales pour lutter contre cette maladie.

Pour sucrer sans danger, mais avec modération, choisissez plutôt les fruits secs finement hachés, les jus de fruits frais dilués, le fructose en petites quantités et la mélasse noire.

LES ÉDULCORANTS DE SYNTHÈSE

De nombreux produits dits «sans sucre» ou «allégés» sont sucrés à l'aide d'édulcorants de synthèse. Ces composés chimiques n'ont pas leur place dans l'alimentation d'un enfant. L'organisme doit les traiter, les stocker, les détoxifier puis les éliminer. En quantités excessives, ils peuvent conduire à des déséquilibres métaboliques.

La saccharine Aux États-Unis, la loi exige que les emballages portent l'avertissement suivant : «Ce produit peut être dangereux pour la santé. Contient de la saccharine, qui provoque le cancer chez les animaux de laboratoire». Faut-il en dire plus?

L'aspartame C'est un dipeptide (une chaîne de deux acides aminés), ce qui permet à ses fabricants d'annoncer que l'organisme est capable de le métaboliser. Les seules personnes mises en garde contre son utilisation sont les personnes atteintes de phénylcétonurie (PCU), maladie dépistée systématiquement à la naissance. Pourtant, l'aspartame contient une substance cancérigène et, en cas de décomposi-

tion, elle génère un sous-produit, le méthanol, qui peut provoquer la cécité à hautes doses. Cette décomposition a lieu après deux ou trois mois de stockage, ou après une exposition à la chaleur. Certaines recherches en cours mettent en évidence une augmentation du risque de tumeurs au cerveau. Le Département américain de l'agriculture recommande un apport maximum de méthanol de 7,8 mg par jour chez l'adulte. Or une boîte de soda «light» en contient potentiellement deux fois plus. L'aspartame est responsable à lui seul de 75 % des réactions cliniques d'origine alimentaire signalées à la Food and Drug Administration.

Le sorbitol On en trouve dans la plupart des produits destinés aux diabétiques, tels que confitures et friandises. Insoluble, il résulte de la réduction enzymatique du sucre. Des cristaux de sorbitol se forment sur le cristallin des personnes atteintes de cataracte. Il n'est pas certain que le sorbitol consommé dans l'alimentation y soit pour quelque chose, mais je ne prendrais pas un tel risque pour mon enfant.

LE SEL

La question du sel est différente. Il fut un temps où le sel était si rare qu'on s'en servait pour payer les soldats (d'où le terme «salaire»). L'organisme, milieu salin, a besoin de sodium. Nos ancêtres, qui consommaient beaucoup de fruits et de légumes, avaient un apport important en potassium, substance vitale, et en sodium, non moins vital. Le sodium était bien moins abondant que le potassium : le rapport était d'environ 1 pour 4. Pour cette raison, on pense que le corps humain a évolué de manière à retenir en priorité le sodium (rare mais indispensable) en le réabsorbant par les reins, tout en excrétant le surplus de potassium. Aujourd'hui, la situation s'est inversée. Nous ne mangeons plus autant de fruits ni de légumes, mais nous saupoudrons sans retenue notre assiette de sel, ou bien nous achetons des plats industriels généreusement salés. L'alimentation moderne présente un rapport de 4 parts de sodium pour 1 part de potassium. Ce renversement entraîne des troubles de santé tels que déséquilibres minéraux, rétention d'eau et, plus grave, maladies cardio-vasculaires. Le problème est particulièrement aigu pour les jeunes enfants, dont les reins ne sont pas capables de traiter de grandes quantités de sel. Un penchant pour le salé peut être satisfait au moyen d'herbes aromatiques et d'aliments naturellement salés : les algues, les œufs de poisson et les prunes séchées japonaises (uneboshis). Le sodium organique de ces produits n'est pas métabolisé de la même façon que le sel que nous ajoutons à nos préparations.

SE PASSER DE SEL

La consommation de sel est aujourd'hui démesurée, voire dangereusement élevée. Les enfants trouveront tout le sodium qu'il leur faut dans un régime riche en fruits et en légumes.

Hélas, en goûtant les plats que nous leur destinons, nous les trouvons trop fades et nous les salons. Il est tout à fait inutile de saler leur nourriture. Essayez plutôt les herbes aromatiques et les épices : dépourvues de sodium, elles habituent le palais de l'enfant à la diversité et possèdent parfois des qualités protectrices et thérapeutiques. Les herbes et les épices fortes en goût qui peuvent

RESTONS RAISONNABLES

Il n'est pas toujours commode de se passer de certains ingrédients très salés pour relever un plat : olives, sauce de soja, anchois… Si l'on reste raisonnable, ils sont sans danger.

se substituer au sel sont, entre autres : les feuilles de coriandre fraîche, l'estragon, le basilic, la menthe, le cumin, le paprika, la ciboulette et les algues en flocons. Vous trouverez également des cubes de bouillon sans sel ni glutamate monosodique dans les bons magasins de produits naturels.

LES MATIÈRES GRASSES

La recherche scientifique montre que, là encore pour des raisons de survie, nous sommes en quelque sorte programmés pour manger des matières grasses, afin de nous assurer un apport suffisant en acides gras essentiels. Certaines études suggèrent que si nous ne trouvons pas ces acides gras essentiels dans notre alimentation et que nous y substituons des graisses saturées, nos besoins ne sont jamais véritablement satisfaits. Et nous continuons à manger des graisses. En consommant une juste dose d'acides gras essentiels, on restaure l'équilibre naturel entre désir et satiété. Proposez à votre enfant de l'huile d'olive vierge extra, des graines fraîches moulues, des huiles végétales pressées à froid et des poissons gras.

LES GRAISSES QUI TUENT

Toutes les graisses ne se valent pas. Celles qu'il faut donner le moins possible à un jeune enfant sont celles qui contrarient les bienfaits des bonnes graisses, elles-mêmes nécessaires au développement du cerveau et des tissus nerveux, des membranes cellulaires et de la production hormonale. Les plus redoutables sont les graisses hydrogénées que l'on trouve dans la margarine et les plats tout préparés. Les bonnes huiles, celles qui préservent la santé, ont une durée de vie si brève (elles doivent être fraîches pour agir) qu'elles ne sont guère prisées par les industriels. Toute huile chauffée, sauf l'huile d'olive, entrave l'action des bonnes graisses. Pour cuisiner, utilisez un peu de beurre, de l'huile d'olive, ou, si vous en trouvez, du beurre de coco. L'huile doit être réfrigérée pour éviter l'oxydation. Les régimes pauvres en graisses adoptés par certains adultes ne conviennent pas aux enfants. En effet, les plus jeunes ont un petit estomac par rapport à leurs besoins énergétiques, et ils ont grand besoin des calories qu'ils puisent dans des lipides de qualité. Le tableau ci-contre dresse une liste des principales matières grasses et de leur utilisation.

LES MATIÈRES GRASSES ET LEUR UTILISATION

NOM	TYPE	UTILISATION
Beurre		Cuit ou cru
Margarine classique	Hydrogénée	À proscrire
«Beurre» allégé (type St-Hubert 41)	Émulsionné	À tartiner
Huile d'olive	Vierge extra, pressée à froid	Cuite ou crue. Salades, sauces
Huile de tournesol	Pressée à froid. Ne pas chauffer. Tenir au frais.	Salades, assaisonnements après cuisson
Huile de carthame	Pressée à froid. Ne pas chauffer. Tenir au frais.	Salades, assaisonnements après cuisson
Huiles de noix, d'amande douce, de noisette et d'autres fruits à coque	Pressée à froid. Ne pas chauffer. Tenir au frais.	Salades, assaisonnements après cuisson
Huile de lin	Pressée à froid. Ne pas chauffer. Tenir au frais.	Salades, assaisonnements après cuisson
Huile d'arachide		Peut contenir des toxines (voir page 65), favorise les maladies cardio-vasculaires. À proscrire.
Huile de maïs		L'extraction est faite à très haute température avec des solvants toxiques. À proscrire.
Huile de sésame		Contient du sésamol, qui la rend très stable. Pour cuisson à feu vif (wok).
Fruits à coque et graines	Frais, non grillés. Tenir au frais.	À grignoter
Tahin (pâte de sésame)		À tartiner
Purée de fruits à coque ou de graines	Amande, noix de cajou, graines de tournesol. Tenir au frais.	À tartiner
Beurre d'arachide	Biologique, sans sel ni sucre ajoutés	À employer avec modération (voir page 65)

APPRENEZ À LIRE UNE ÉTIQUETTE

À VOTRE AVIS, DE QUEL PRODUIT S'AGIT-IL ?

Ingrédients Lait écrémé, fromages, beurre, jambon de dinde (10 %), protéines de lait, polyphosphates, citrates, di-, tri- et ortho- phosphates de sodium, arômes naturels, exhausteur de goût : glutamate monosodique, sel, conservateurs : sorbate de potassium, nisine, chapelure, farines de blé et de maïs, amidon, amidon modifié, sel, dextrose, protéines végétales et de lait, huile végétale, aromates, poudre à lever, diphosphate disodique, bicarbonate de sodium, gomme de guar.

Ce produit qui porte l'effigie d'un bovidé bien connu des enfants est vendu sous le nom de « nuggets de fromage goût jambon » et ne contient pas un gramme de jambon.

Il n'existe pas moins de 3 000 additifs alimentaires chimiques, dont chacun d'entre nous avalons plusieurs kilogrammes par an ! Nous sommes nombreux à dire que nous ne pouvons pas passer notre temps à lire les emballages, mais un simple coup d'œil averti sur les principaux ingrédients peut en dire long, et lorsqu'on a fait le tour des marques, on sait lesquelles éviter et lesquelles acheter. Voici quelques conseils pour décoder les étiquettes.

L'ordre de présentation des ingrédients Ils sont toujours présentés par ordre décroissant de poids. Si la sauce bolognaise que vous achetez porte la mention : « Tomates, amidon, oignon, viande, aromates… », vous savez que la proportion de viande est des plus faible par rapport au poids du produit. C'est peut-être mieux, mais est-ce bien ce que vous pensiez acheter ?

Les sucres cachés Ils se dissimulent souvent sous des appellations différentes. En règle générale, les mots en -ose ou en -ol désignent des sucres : maltose, glucose, lactose, galactose, sucrose, fructose, sorbitol (voir page 87). Tous les sirops sont également des sucres, le sirop de maïs par exemple.

La dextrinemaltose est un hydrate de carbone partiellement hydrolysé, à mi-chemin de l'amidon et du sucre. Totalement hydrolysée, la dextrine-maltose devient une colle dont on enduit les timbres et les rabats d'enveloppes. Sous sa forme partiellement hydrolysée, elle figure dans de nombreux plats préparés, y compris certains pots pour bébés et certains laits maternisés. C'est un agent de texture peu coûteux, sans valeur nutritive, qui finit transformé en sucre par l'organisme. Elle ne peut qu'entraver vos efforts pour réduire le goût du sucre et maîtriser la glycémie de votre enfant.

Les sels nitrités Toutes les salaisons et certains produits fumés, surtout les saucisses, le jambon et le lard fumé, contiennent des sels nitrités, qui sont des conservateurs. Dans l'estomac, ils se transforment en nitrosamines, soupçonnées d'être cancérigènes. Le rôle des conservateurs est d'empêcher le développement de moisissures, dont certaines sont très dangereuses pour les enfants. Si vous choisissez de donner des aliments sous emballage plastique à votre enfant, il faudra bien vous résigner à ce qu'il mange des conservateurs. Mais aucun d'entre eux n'est bon pour la santé.

Les émulsifiants Ils servent surtout à augmenter la teneur en eau des aliments, celle des viandes par exemple, afin d'accroître les marges bénéficiaires des fabricants agroalimentaires. La lécithine, présente à l'état naturel dans certains aliments, est un agent de texture inoffensif employé dans les sauces. Toutefois, comme elle est souvent extraite du soja, vous devez l'éviter si votre enfant est allergique au soja.

Les antioxydants Ils sont indispensables pour éviter le rancissement. Ils existent dans la nature et représentent une part importante de notre alimentation. Les ascorbates (vitamine C) et le tocophérol (vitamine E) sont de bons anti-oxydants, utiles à l'organisme. Toutefois, l'industrie agroalimentaire en a inventé d'autres, qui peuvent poser un problème : le BHA, le BHT et les gallates, qui sont peut-être cancérigènes.

Les colorants alimentaires Leur seule utilité est de rendre les aliments plus attrayants, un point c'est tout. Deux d'entre eux sont inoffensifs, le carotène, ou vitamine A, et la riboflavine, ou vitamine B2 (respectivement E160 et E 101), les autres ne le sont pas.

Le glutamate monosodique ou MSG Répertorié sous le numéro E621, ce cousin du sel est employé comme exhausteur de goût. De nombreuses personnes réagissent au glutamate monosodique, et on a même identifié un «syndrome du restaurant chinois», la cuisine orientale en faisant grand usage. Heureusement, il n'est pas autorisé dans les petits pots pour bébés, mais il est présent dans de nombreuses préparations. Il entre aussi dans la composition des protéines végétales hydrolysées, autre additif que vous éviterez totalement pour les jeunes enfants.

LES AGENTS DE TEXTURE, CONSERVATEURS ET ADDITIFS

• Les agents de texture (amidon, amidon modifié et dextrinemaltose) donnent du volume et permettent d'abaisser les coûts de production.
• Les conservateurs retardent la décomposition des aliments. Le sucre et le sel sont utilisés à cet effet depuis la nuit des temps, mais il existe aujourd'hui une kyrielle de conservateurs, chimiques bien sûr, au rang desquels figurent les sorbates, les benzoates et le dioxyde de carbone, pour ne citer que les plus appétissants.
• Les additifs alimentaires sont en majorité des arômes artificiels ou des colorants artificiels. Certains sont nocifs, d'autres non. Mais il est difficile de les différencier. Certains «E-quelque chose» sont tout à fait anodins, comme les vitamines C et E, qui empêchent l'oxydation. D'autres sont redoutables (voir tableau ci-contre) et ont été impliqués dans certains troubles pédiatriques : la tartrazine (un colorant jaune) est mise en cause dans l'apparition de l'hyperactivité et de l'asthme.

Il est intéressant de constater que, selon les pays, la législation sur les additifs est plus ou moins stricte. Le E104 (jaune de quinoléine), courant dans les bonbons et les desserts, est interdit en Norvège, aux États-Unis, en Australie et au Japon. Le E110, autre colorant jaune, employé dans les boissons et les bonbons, est interdit en Norvège et en Finlande. Le E124 (rouge cochenille), présent dans certains bonbons, est illégal aux États-Unis et en Norvège en raison des risques qu'il fait courir aux asthmatiques.

Je vous conseille d'éviter les additifs qui figurent dans la seconde partie de la liste ci-dessous, et tous ceux (il y en a des centaines) que je n'ai pas pu reprendre ici, nul ne sachant vraiment s'ils sont bons ou mauvais.

Certains ouvrages sérieux résument l'essentiel des connaissances sur les additifs. Vous en trouverez la liste page 186.

LES ADDITIFS ALIMENTAIRES

Voici les seuls additifs dont la consommation est soit sans danger, soit même bénéfique pour votre santé et celle de votre enfant :
....
Colorants
E 101 (riboflavine), E160 (carotène)

Conservateurs
E200 à E290 : ils garantissent l'innocuité des denrées; inoffensifs, ils n'en sont pas bénéfiques pour autant

Antioxydants
E300 à E304 (ascorbates)
E306 à E309 (tocophérols)

Émulsifiants, stabilisateurs et autres
E322 (lécithine), E375 (acide nicotinique), E440 (pectine)
....
Les additifs suivants sont nocifs pour la santé des adultes et des enfants :
....
Colorants
E102, E104 à E142, E150, E151 à E155, E173, E174

Conservateurs
E200 à E203, E210 à E219, E 220 à E227, E230 à E249, E250 à E252, E262, E281 à E283, E290

Antioxydants
E310 à E312, E320 à E321

Émulsifiants, stabilisateurs et autres
E385, E407, E513, E525, E535, E541, E621, E631, E635, E905, E924, E925

SE PROTÉGER DE LA POLLUTION

Nous vivons aujourd'hui dans un milieu qui n'a plus rien à voir avec celui dans lequel a évolué l'espèce humaine. Notre environnement et notre alimentation nous exposent à une gamme immense de substances qui, en grandes quantités, peuvent provoquer des dégâts terribles, surtout sur un enfant jeune en plein développement. En Grande-Bretagne, l'individu moyen inhale 1 g de métaux lourds par an. Les métaux lourds sont des antinutriments, ce qui signifie qu'ils entravent les effets positifs des nutriments contenus dans notre assiette.

S'exposer le moins possible étant l'un des moyens les plus efficaces pour protéger son enfant, voici quelques mesures que vous pouvez prendre pour écarter les plus gros risques.

LE PLOMB

Il figure parmi les substances les plus dangereuses pour les jeunes enfants, car c'est un neurotoxique avéré : en d'autres termes, un poison pour le système nerveux. C'est pour cette raison que les peintures au plomb ont été interdites sur les jouets. La situation s'est considérablement améliorée depuis la quasi-disparition de l'essence plombée. Toutefois, l'air que nous respirons reste très chargé en particules de plomb. L'intoxication peut aussi être due à des tuyauteries anciennes. Il est donc sage de faire vérifier votre installation afin de vous assurer que vous ne puisez pas du plomb au robinet. Le plomb (qui est un poison) et le zinc (qui est un nutriment) sont directement antagonistes. Cela signifie que si un enfant a de bonnes réserves de zinc, il fixera moins de plomb.

LE CADMIUM

La plupart des parents veillent désormais à ne pas exposer leurs enfants à la fumée de cigarette, surtout depuis que l'on a découvert qu'elle est l'un des «facteurs de risques» du syndrome de mort subite du nourrisson (MSIN). Au cas où il vous faudrait une raison supplémentaire d'éviter le tabac, sachez que les cigarettes sont une des sources principales de cadmium, qui est un métal toxique.

LE MERCURE

Aujourd'hui, c'est surtout par le truchement des pesticides et des amalgames dentaires que nous y sommes exposés. Les enfants de moins de 2 ans n'ont bien sûr pas de plombages, mais il faudra bien décider d'en faire poser ou non le moment venu ; vous devez en discuter sérieusement avec votre dentiste. Le débat fait rage en ce moment, et certains pays d'Europe en ont déjà interdit l'usage ou prévoient de le faire dans les années à venir. Ils peuvent être remplacés par des amalgames dentaires à base de résines composites.

L'ALUMINIUM

Les sources principales de contamination sont l'aluminium ménager, les antiperspirants, les médicaments antiacides et les casseroles en aluminium, surtout lorsqu'on y met des aliments acides tels que citron, tomate ou rhubarbe, qui dissolvent des particules de métal. Des recherches tentent actuellement de cerner un éventuel lien entre aluminium et maladie d'Alzheimer. Pour le moment, on ignore si la présence d'aluminium en quantité dans le cerveau des patients est une cause ou un effet de la maladie. Même s'il vous semble un peu prématuré de vous préoccuper des risques que court votre enfant de contracter cette affection, liée au vieillissement, évitez l'aluminium par mesure de prudence.

LE CUIVRE

C'est un nutriment essentiel, mais à hautes doses, il devient un antinutriment. Pour les enfants, le risque le plus grand provient des canalisations d'eau, surtout lorsqu'elles sont neuves et non entartrées. Si votre logement est équipé de tuyauteries en cuivre neuves, mieux vaut utiliser un filtre à eau, de l'eau minérale ou de source, en bouteilles.

COMMENT ÉVITER LES POISONS

Les mesures suivantes vous aideront à réduire l'exposition de votre enfant aux polluants :

• Achetez le moins possible d'aliments pré-emballés.

• Si vous le pouvez, achetez des produits issus de l'agriculture biologique.

• Sauf s'ils sont biologiques, lavez les fruits et légumes. Un trait de vinaigre dans une cuvette d'eau froide permet de dissoudre les résidus cireux qui recouvrent la plupart des fruits. Supprimez les feuilles extérieures des légumes.

• Évitez les produits frais vendus au bord des grandes routes, car ils ont été longuement exposés à la pollution.

• N'utilisez pas de casseroles en cuivre ou en aluminium, ni de papier d'aluminium. Préférez l'inox ou la céramique.

• Ne buvez pas et n'employez pas pour la cuisine une eau traitée par un adoucisseur, car l'eau adoucie dissout plus facilement le plomb. Si vous buvez l'eau du robinet, assurez-vous qu'elle provient directement du réseau. Installez un filtre ou buvez de l'eau en bouteilles.

• Consommez le moins possible de médicaments en vente libre ; les antiacides, par exemple, contiennent de l'aluminium.

• Empêchez les tout-petits de gratter les murs et de porter à la bouche des éclats de vieilles peintures.

• Évitez le film plastique alimentaire, et n'emballez surtout pas les denrées directement dedans. Il contamine les lipides alimentaires avec un composé œstrogène dangereux, le nonylphénol.

LES NUTRIMENTS QUI DÉTOXIFIENT

Certains nutriments et aliments sont excellents pour débarrasser l'organisme des métaux lourds :

Le calcium et le phosphore contrarient l'action du plomb. Les fruits à coque, les graines et les légumes à feuilles vertes en sont riches. Le calcium s'oppose également au cadmium et à l'aluminium.

La vitamine C élimine le plomb, le cadmium et l'arsenic. Les fruits les plus riches en vitamine C sont les agrumes, les kiwis, les mûres et les fraises. Parmi les légumes, signalons le chou, les pousses de soja, le poivron, les pommes de terre et les patates douces.

Le zinc combat l'action du plomb et du cadmium. Vous en trouverez, entre autres, dans le jaune d'œuf, les sardines, le poulet, les amandes, le concombre, le sarrasin, les pois et le foie.

Le magnésium lutte contre les intoxications par l'aluminium. On en trouve dans tous les légumes à feuilles vertes, ainsi que dans l'ail, l'oignon, les tomates, les pruneaux, les aubergines, les abricots, le maïs doux et les pommes de terre non pelées.

Les acides aminés soufrés protègent contre le plomb, le cadmium et le mercure. Il y en a dans les œufs, les oignons et l'ail.

La pectine facilite l'élimination du plomb. Elle est présente dans les pommes, les bananes, les agrumes et les carottes.

L'acide alginique, issu des algues, est un puissant détoxifiant antiplomb. Les flocons d'algues séchées, en vente dans les bons magasins de produits naturels et dans les magasins de produits japonais, s'utilisent comme un condiment salé avec toutes sortes de plats.

LES ALLERGIES ET LES INTOLÉRANCES ALIMENTAIRES

Lorsque nous parlons d'alimentation, nous employons souvent le terme «allergie» à propos de n'importe quel type de réaction. C'est une impropriété. Une allergie alimentaire est une réaction très spécifique qui implique une réponse immunitaire dès l'ingestion d'un aliment. Techniquement, cette réponse immunitaire porte le nom d'allergie IgE (immunoglobuline E), et peut s'avérer très grave, ou même fatale, pour la personne atteinte.

Les réactions aiguës ne se manifestent généralement pas dès la première exposition au facteur déclenchant, en l'occurrence un aliment. L'organisme n'est alors qu'au stade de la «programmation» de l'allergie. La réponse immunitaire apparaît seulement à partir de la seconde exposition, et peut prendre des formes physiques extrêmes.

En évitant d'exposer l'enfant aux allergènes au cours de ses premières années, on réduit le risque qu'une allergie se déclare. Toutefois, il est impossible de savoir avec certitude si un enfant a ou non été exposé à certains allergènes. C'est pourquoi, compte tenu du danger potentiel, il vaut mieux vous assurer que votre enfant ne présente pas de risque particulier en le soumettant à une exposition maîtrisée. De nombreux parents évitent certains aliments, les arachides par exemple, mais ignorent que leur enfant peut y avoir été exposé à leur insu. Ainsi, les arachides figurent dans une infinité de produits, mais leur nom n'apparaît pas forcément sur l'emballage : la mention «huile végétale» ne vous apprend rien.

En ce qui me concerne, je préfère n'exposer mon enfant à un aliment très risqué que si nous nous trouvons à proximité du cabinet du médecin, pendant les heures de consultation, sans oublier que ce n'est qu'à la seconde exposition qu'une réaction se manifestera éventuellement. Ainsi, en cas de réponse immunitaire grave, je peux obtenir une assistance immédiate.

Si votre enfant présente une allergie vraie, il la gardera probablement toute sa vie. Son seul recours sera d'éviter l'aliment mis en cause.

Dans certains cas, le médecin pourra lui conseiller de voir un spécialiste pour subir une désensibilisation.

Sur la liste des aliments qui risquent de provoquer une allergie grave, les arachides arrivent premières. Par prudence, vous les laisserez de côté jusqu'à l'âge de 5 ans. Elles sont très riches en lectines, molécules protéiques qui se lient aux cellules humaines. C'est peut-être là l'origine des réactions qu'elles déclenchent. Si votre enfant a des tendances allergiques, ou s'il y a des allergiques dans la famille, mieux vaut le protéger contre ce risque, si mince soit-il. N'oubliez pas que l'arachide se nomme également cacahuète et que l'huile d'arachide présente les mêmes dangers. Elle entre dans la composition de pommades contre les crevasses mammaires et contre l'érythème fessier, ce qui pourrait expliquer l'actuelle recrudescence des sensibilisations chez l'enfant. Les parents que ce risque inquiète, et qui veulent être renseignés sur les allergies, peuvent en parler à leur médecin ou à un allergologue.

Les menus types de ce livre sont classés par tranche d'âge, pour vous aider à introduire les aliments à risque dans un certain ordre.

LE FACTEUR FAMILIAL

Parfois, c'est toute la famille qui présente des tendances allergiques : rhume des foins, eczéma, asthme, psoriasis ou migraine. C'est ce qu'on appelle le «terrain atopique»; les patients atteints étant dits «atopiques». Si votre famille est porteuse de ces troubles, y compris les grands-parents et les oncles et tantes, vous devrez prendre encore plus de précautions. En effet, les aliments à risque peuvent se comporter comme des facteurs déclenchants et déstabiliser suffisamment le métabolisme pour permettre l'apparition de symptômes allergiques.

LES INTOLÉRANCES ALIMENTAIRES

Elles sont bien différentes des allergies, mais sont parfois désignées, improprement, par le même terme. Il s'agit d'une réaction immunitaire à retardement, dite IgG (immunoglobuline G), et non d'une réaction immédiate. Parfois, dans le cas d'une intolérance simple, on n'observe même pas de réaction immunitaire. Pour ce qui est de l'alimentation, seules les protéines peuvent causer une allergie ; c'est pourquoi on ne peut parler que d'intolérance au lactose, qui est un sucre.

Quelle que soit la réaction qu'elles entraînent, les intolérances sont bien plus insidieuses que les allergies, car elles minent la santé et empêchent le bon fonctionnement de l'organisme. Chez l'enfant, elles peuvent déclencher les troubles suivants : eczéma, asthme, rhume des foins, colique du nourrisson, ulcères de la bouche, ballonnement, diarrhée, constipation, éruptions, psoriasis, douleurs d'estomac, météorisme et problèmes comportementaux.

Le tube digestif des jeunes enfants étant plus perméable que celui des adultes, il laisse passer plus facilement les molécules non digérées, et le danger potentiel est accru. Ce mécanisme cause plus de dégâts avec certains aliments.

Si l'on veille à réduire l'exposition des enfants aux aliments à risque dans les premières années, on peut ensuite les introduire sans danger, du moment qu'ils sont consommés sans excès.

LES ALIMENTS À RISQUE

Les denrées qui causent le plus de problèmes d'intolérance ou d'allergie sont :
• Le froment, que ce soit le froment lui-même ou le gluten qu'il contient (ou, plus exactement, la protéine du gluten, la gliadine).
• Les produits laitiers au sens large, c'est-à-dire tant le lactose contenu dans le sucre que les protéines du lait.
• Les céréales autres que le froment et qui contiennent du gluten : avoine, orge, seigle.
• Les produits à base de soja.
• Les agrumes, en particulier les oranges.
• Le maïs et d'autres céréales pauvres en gluten, comme le riz.
• Les œufs, surtout le blanc. Le jaune bien cuit sera donné en premier et, s'il est toléré, sera suivi du blanc cuit.

L'ORDRE D'INTRODUCTION DES ALIMENTS

Voici dans quel ordre introduire certains aliments, toujours un à la fois :

DE 4 À 8 MOIS

1 Légumes (sauf les solanacées, voir 9)
2 Fruits (sauf les agrumes)
3 Légumineuses, haricots
4 Riz, sarrasin, quinoa et millet
5 Volaille, viande et poisson (1)
6 Jaune d'œuf

DE 9 À 14 MOIS

7 Avoine, orge, maïs et seigle
8 Yaourt
9 Solanacées (pommes de terre, tomates, aubergines, poivrons)
10 Œuf entier (1)
11 Produits à base de soja (1)
12 Fruits de mer (1)

DE 15 À 24 MOIS

13 Oranges
14 Froment
15 Produits laitiers (autres que le yaourt)
16 Graines (1) et fruits à coque (1), sauf arachides

5 ANS

17 Arachides (1)

(1) Ces aliments sont les plus liés aux allergies (et non aux simples intolérances). Rappelez-vous que la composition protéique de n'importe quel aliment est susceptible de causer une réaction. Je préfère être trop prudente et je présente donc ces aliments à un âge où presque tous les enfants peuvent les tolérer. Si vous acceptez de prendre des risques, vous pouvez les donner un peu plus tôt, car tous sont sains et nutritifs. Par exemple, j'ai proposé à mon fils des graines de tournesol et de courge, ainsi que des fruits à coque, le tout finement moulu, dès 8 mois; en effet, le risque me paraissait infime par rapport aux innombrables bienfaits de ces aliments. En revanche, j'ai été plus stricte pour les céréales et les produits laitiers, car le danger est plus important de voir une sensibilité évoluer vers une allergie.

L'ORDRE D'INTRODUCTION DES ALIMENTS

Ce qu'il y a d'inquiétant avec les listes d'aliments à risque, c'est qu'elles mentionnent forcément tous les plats que l'on sert souvent aux petits : un biberon de lait et une biscotte, un jus d'orange et des œufs brouillés. En les lisant, les parents s'affolent et se demandent ce qu'ils vont bien pouvoir donner à leurs enfants.

Il faut s'attacher à présenter les aliments dans l'ordre qui garantira un risque minimal pour le tube digestif, et qui évitera le plus possible l'apparition d'intolérances ou d'allergies. Le plus important, c'est que votre enfant ait une alimentation très variée, dans laquelle tous les aliments, ou presque, figurent en quantité modérée.

Si, après avoir respecté ce programme, vous pensez que votre enfant n'est pas sujet aux intolérances alimentaires, réjouissez-vous, car vous avez réussi à lui faire découvrir une grande diversité de produits sans tomber dans la restriction.

PRENEZ DES NOTES

Notez tous les plats nouveaux que vous donnez à votre enfant et les éventuelles réactions qu'ils déclenchent. Si un aliment vous paraît suspect, supprimez-le et réintroduisez-le deux semaines plus tard. Si les troubles se répètent, ne le présentez plus pendant plusieurs mois. Abstenez-vous de donner à votre enfant des produits qui provoquent des réactions aiguës ou dangereuses.

Il peut arriver qu'un enfant présente subitement une réaction à un aliment qu'il mange depuis longtemps sans problème. C'est peut-être parce qu'il en mange trop souvent et que le seuil de tolérance a été franchi. Dans ce cas, on peut soupçonner une réaction IgG. L'anticorps IgG comporte une sorte de mémoire à court terme, que l'on peut «effacer» avec une petite astuce : supprimez complètement l'aliment en question pendant huit semaines, y compris sous forme de composant, même mineur, dans d'autres préparations (lisez les étiquettes). Ensuite, il est probable que, en le réintroduisant sur quatre ou cinq jours, vous pourrez éviter de «reprogrammer» la réaction et l'apparition des symptômes. Ne servez cet aliment qu'en de rares occasions.

REMPLACER LE FROMENT ET LES PRODUITS LAITIERS

Les aliments responsables du plus grand nombre d'intolérances alimentaires sont, et de loin, le froment et les produits laitiers. Si vous croyez que votre enfant est atteint, voici quelques solutions de remplacement :

POUR REMPLACER LE FROMENT

Avoine	porridge, galettes, müesli
Seigle	pain croquant suédois, pumpernickel, pain de seigle complet à l'allemande
Riz	riz brun, galettes de riz, pâtes de riz, en bouillie avec de la noix de coco et des fruits secs pour le petit déjeuner
Maïs	tortillas, nachos, pop-corn, pâtes de maïs, pâtisseries
Orge	à l'eau, pâtes à l'orge
Sarrasin	blinis, galettes et nouilles de sarrasin, pâtes
Quinoa	à l'eau, en bouillie
Millet	en bouillie, en porridge
Épeautre	farine ou pain. C'est une ancienne variété de blé que certains intolérants supportent
Boulghour (ou pilpil)	cette forme de blé (germé, puis séché et concassé) est parfois tolérée
Farine de pois chiches	socca (bouillie de pois chiches d'origine niçoise), falafels
Farine de lentilles	poppadums (galettes indiennes)
Amandes en poudre	dans les bouillies de céréales, en pâtisserie
Müesli	se prépare avec toutes sortes de céréales, de graines, de fruits à coque et de fruits secs hachés
Pour lier les sauces	fécule de maïs, de pommes de terre, farine d'orge ou de riz
Pommes de terre et riz	féculents qui remplacent les pâtes en accompagnement

POUR REMPLACER LES PRODUITS LAITIERS

Lait de soja	le meilleur pour le porridge et les céréales du matin
Lait de riz	rafraîchissant, bon sur les céréales du matin
Lait d'avoine	en pâtisserie
Lait d'amandes	pour remplacer la crème
Lait de coco	remplace la crème, excellent dans les sauces ; à couper d'eau, moitié-moitié ou selon le goût
«Yaourt» et fromage de soja	on trouve des laits de soja fermentés renfermant des cultures vivantes
Beurre	Ses 80 % de matières grasses le rendent tolérable par certains allergiques
Petit-lait	pour les boissons ; souvent toléré par les allergiques qui réagissent à la caséine et non aux composants du sérum (ou petit-lait)

7

QUAND VOUS ÊTES PRESSÉS

S'intéresser à la santé de son enfant et veiller à sa bonne alimentation ne signifient pas que l'on soit épargné par les soucis des parents pressés. Les supermarchés et les magasins de produits naturels regorgent d'aliments tout préparés dont l'emballage vante les bienfaits. Malheureusement, ils ne tiennent que rarement leurs promesses et sont bourrés de graisses hydrogénées et de conservateurs. Ce qui se vend dans les magasins de produits naturels ou diététiques n'est pas toujours sain. Comme ce n'est pas toujours le cas, vous devez rester vigilant. Lisez toujours la liste des ingrédients !

CUISINE RAPIDE MAIS PAS STUPIDE

L'âge du fast-food est arrivé. Manger vite ne veut pas forcément dire manger mal ; encore faut-il savoir faire la différence entre les deux. Une boîte de sardines, un plat de pâtes complètes, une pomme de terre au four, des petits pois surgelés avec du maïs, ou encore un pâté de poisson tout prêt, voilà des repas rapides et nourrissants.

Quand on est bien informé, il est facile de faire vite sans se tromper. En revanche, certains plats ne sont pas au-dessus de tout soupçon : les croquettes de poulet reconstituées, les hamburgers servis dans les grandes chaînes de restauration, les tranches de fromage et la majorité des saucisses industrielles, par exemple.

LES ALIMENTS POUR BÉBÉS

Les petits pots pour bébés sont très tentants. Même les parents les plus irréductibles n'excluent pas d'y avoir recours un jour ou l'autre. Hélas, ces aliments, en pots de verre, sous plastique ou en briquettes, sont pour la plupart de qualité insuffisante. Aujourd'hui, ils ne contiennent plus ni sel en excès, ni colorants, mais ils sont souvent épaissis avec des agents de texture sans valeur nutritive et qui n'apportent que des calories vides. Nombreux aussi sont ceux qui comportent du sucre.

Au Royaume-Uni, une récente enquête de la Food Commission a révélé que la majorité des aliments pour bébés étaient épaissis à l'aide de divers amidons pauvres en nutriments. 54 % contenaient des sucres superflus non issus du lait (et 19 % de ces aliments n'étaient pas des desserts) ; 60 % contenaient des agents de texture tels que la dextrinemaltose et l'amidon de maïs modifié ; enfin, 17 % des aliments destinés aux nourrissons de moins de 4 mois contenaient du gluten, en dépit des recommandations du gouvernement britannique, qui conseille d'exclure cette protéine des préparations pour les moins de 6 mois.

Il vaut toujours mieux lire la liste des ingrédients, qui réserve quelquefois des surprises. Par exemple, le nom d'un aliment pour bébés de grande marque qui affiche sur son étiquette « Carottes, épinards, cabillaud », laisse croire que le cabillaud en est un composant majeur, ce qui rassurera les parents soucieux d'assurer un bon apport protéique à leur enfant. En lisant la composition, on s'aperçoit que le poisson n'entre que pour 8 % dans la recette, soit une portion de 20 g sur un pot de 250 g destiné aux plus de 12 mois !

Pour répondre à la demande croissante des consommateurs, les fabricants proposent des gammes de produits biologiques. Pourquoi ne pas les essayer, d'autant qu'il apparaît sans arrêt de nouvelles variétés ? Parmi les marques disponibles en grandes surfaces ou en magasins spécialisés, citons Hipp, Nestlé Bio, Carrefour Bio, Sunval, Bioland, Babybio…

En règle générale, je pense que les petits pots, à condition qu'ils soient choisis parmi les meilleurs, sont pratiques pour se dépanner à l'occasion. Il faut éviter d'en donner trop souvent à la place d'un vrai repas. Pour tricher un peu en gardant la conscience tranquille, vous pouvez congeler des portions de lentilles corail ou de riz brun (voir index des recettes), et les mélanger au contenu des pots, afin d'en améliorer la valeur nutritive. Vous pouvez également râper un peu de carotte, de concombre ou de pomme dans l'assiette pour réveiller une préparation industrielle.

POUR LES PETITS CREUX

Même si le seul changement que vous introduisez dans l'alimentation de votre famille consiste à remplacer les friandises habituelles par des grignotages plus sains, vous aurez fait du bon travail. Et c'est facile ! Avec un peu d'organisation, il est possible d'avoir toujours sous la main des en-cas que vous avalerez sur le pouce avant de sortir, ou que vous accommoderez en un clin d'œil pour composer un repas léger, par exemple en présentant des crudités avec du guacamole ou de la salsa. Voici quelques idées :

• Un fruit frais est presque toujours bien accueilli.

• Les crudités (concombre, poivrons rouge et vert, carottes et champignons) sont délicieuses seules ou trempées dans une sauce froide.

• Les magasins de produits naturels ou exotiques proposent des petits crackers à la farine de riz qui changent des chips.

• Il est très facile de préparer une grande quantité de petits pains sans sucre et de les congeler. Il ne vous restera plus qu'à en emporter quelques-uns pour faire face à la fringale des petits et des grands en déplacement.

• Le plus rapide reste encore de servir à votre enfant un bol de céréales. Elles sont nourrissantes et peuvent permettre d'attendre le repas suivant. Je crois que seules les céréales sans sucre sont envisageables, sans oublier le porridge, les pétales de maïs sans sucre et la kasha (bouillie de sarrasin, dans les magasins de produits naturels). Ajoutez quelques fruits secs hachés et du lait (de préférence de soja, de riz ou d'avoine).

• La plupart des supermarchés vendent des galettes de riz et d'avoine. On peut les tartiner de confiture 100 % fruits, de pâte de graines de tournesol ou de fruits à coque, de tahin, de houmous, de salsa ou d'un peu de fromage blanc de campagne.

• Le pop-corn se prépare en quelques minutes. Saupoudrez-le de cannelle pour en relever le goût.

• Les raisins et autres fruits secs sont commodes, mais il ne faut pas en abuser car ils sont très sucrés. Achetez des produits non traités au soufre : pommes, abricots, pruneaux, ananas…

• Un yaourt nature avec un fruit frais coupé en morceaux est un en-cas délicieux et rapide.

• Les chips de maïs peu salées se dégustent (pas trop souvent) avec du guacamole, de la salsa, une sauce au yaourt et au concombre, ou une purée de haricots en grains.

• Les gressins au blé complet constituent un bon grignotage et peuvent se tremper dans une sauce froide.

SUR LE POUCE, EN PIQUE-NIQUE...

Rien n'empêche qu'un repas léger et vite préparé, que l'on emporte dans une boîte pour le manger à l'extérieur, soit sain et nutritif. Voici quelques idées parmi d'autres :

• Le houmous, acheté ou préparé à la maison, peut se déguster à la cuillère, sans pain. Il s'agit d'une purée épaisse de pois chiches et de sésame, riche en sels minéraux et en fibres, à la fois saine et nourrissante (voir index des recettes).

• Quelques sardines à la tomate, écrasées sur une tranche de pain de mie complet grillé, apportent une bonne quantité d'acides gras essentiels et de lycopène (un antioxydant), ainsi que des fibres et de la vitamine B.

• Les haricots en boîte à la tomate sont une bonne source de protéines, de fibres et de sels minéraux. Choisissez une marque biologique, sans sel ni sucre ajoutés.

• Les petits pois surgelés sont excellents. Une tasse de petits pois apporte 9 g de fibres, ainsi que du zinc en abondance. Mélangez-les avec du maïs en grains surgelé pour obtenir instantanément un plat de légumes coloré et nourrissant.

• Le thon mayonnaise est un bon moyen de faire manger du poisson gras à votre enfant. Remplacez une partie de la mayonnaise par du yaourt pour alléger un peu la recette.

• Les cubes d'omelette fourrée froide se mangent à l'aide de pique-olives ou avec les mains. Essayez de la préparer aux herbes, aux champignons (voir index des recettes), à la tomate, au saumon, à l'oignon ou aux pommes de terre, ou bien mélangez ces ingrédients à volonté.

• Les falafels (boulettes de pois chiches) sont délicieux et sains. Si vous les achetez tout faits, réchauffez-les au four. Si vous les préparez à partir d'un mélange en poudre, poêlez-les avec un peu d'huile. On les sert traditionnellement avec une salade de tomates, de concombre et d'oignon coupés en tout petits cubes, assaisonnée de jus de citron et de tahin.

Cet accompagnement très rafraîchissant se prépare en quelques minutes. Si vous le voulez, vous pouvez glisser falafels et salade dans un pain pita au blé complet, mais pour un enfant ce sera peut-être un peu difficile à manger proprement. Dans ce cas, servez plutôt la pita détaillée en lanières.

• Les magasins de produits naturels proposent, au rayon frais, des croquettes et des saucisses végétariennes. Elles ne sont ni idéales, ni exécrables. Au moins contiennent-elles des fibres, des protéines et des sels minéraux. Si elles restent un plat occasionnel et non régulier, elles sont acceptables.

• Le comptoir traiteur des supermarchés propose aussi des salades de qualité honnête. Choisissez de préférence le houmous, le guacamole, la salsa, la salade de chou ou de haricots, les olives. Avec quelques crudités et des crackers, elles font un bon repas facile à préparer. Les enfants se salissent parfois en mangeant des bâtonnets de légumes à tremper dans la sauce, mais ils aiment beaucoup les formes et les consistances variées. C'est une formule rapide, savoureuse et amusante.

• Les soupes fraîches en briques ou en bouteilles se trouvent dans la plupart des grandes surfaces. Préparées à partir d'ingrédients frais, elles conservent la majeure partie de leurs nutriments et se congèlent bien. Souvent exemptes de froment, elles ne contiennent que rarement du lait. Bien sûr, vous pouvez congeler vous-même des soupes maison.

• On se rabat toujours sur les pâtes quand on n'a rien d'autre. Je vous recommande les pâtes complètes, mais en quantités modérées, car il est facile de provoquer chez votre enfant une intolérance qui lui compliquera la vie plus tard. Pour réduire les risques, je vous conseille vive-ment d'essayer des pâtes préparées avec d'autres céréales que le blé. On trouve dans les magasins de produits naturels des pâtes au maïs, au millet, au sarrasin et au riz. Les enfants adorent les pâtes de différentes formes, coquilles ou torsades, que vous trouverez peut-être en plusieurs couleurs (les colorants sont naturels). Pour les assaisonner, sortez une sauce du congélateur. La préférée de mon fils est la sauce tomate aux anchois et aux olives.

• Le riz brun est un excellent aliment de base : il est nourrissant, nutritif, se prête à toutes les préparations sucrées ou salées. Malheureusement, il est long à cuire, et attendre quarante minutes est particulièrement énervant quand on n'en fait qu'une petite quantité. Mais j'ai la solution : le riz brun cuit se congèle très bien. Congelez-en plusieurs portions et, après l'avoir décongelé, mettez-le dans une passoire et arrosez-le d'eau bouillante. Il est alors assez chaud pour être servi. Vous trouverez des idées de plats de riz dans l'index des recettes.

• Les pommes de terre au four, avec des garnitures de toutes sortes, sont nourrissantes et rapides. À condition de manger la peau, elles sont une bonne source d'hydrates de carbone complexes, d'acide folique, de vitamines C et B. Vous trouverez une liste de délicieuses garnitures page 151.

8

DES REPAS PAISIBLES

Tous nos sens sont en éveil lorsque nous mangeons : le goût, l'odorat, la vue... Un bon repas en bonne compagnie est toujours un moment agréable et distrayant ; quant aux repas en famille, ils resserrent souvent les liens familiaux.

Cela paraîtra peut-être un peu idéaliste aux parents surmenés qui s'inquiètent que leur enfant ne mange pas comme il faudrait, à l'heure qu'il faudrait et dans les meilleures conditions. Et pourtant, voir sa table se transformer en champ de bataille n'est pas une fatalité…

LE PLAISIR D'ÊTRE À TABLE

Manger n'est pas seulement l'occasion de prendre des forces et du carburant, c'est (ou ce devrait être) l'un des plus grands plaisirs de la vie. Mais ne réduisons pas les repas à des manifestations sociales. C'est bien connu, manger dans une ambiance calme et détendue permet de préparer une bonne digestion, celle-ci étant la base de la santé.

UNE AFFAIRE DE FAMILLE

On le dit souvent, la tendance est à la disparition du repas familial, particulièrement dans le nord de l'Europe et aux États-Unis. Les adolescents grignotent toute la journée, mangent à toute vitesse et s'empiffrent devant la télévision, en lisant ou en étudiant. Ces habitudes se prennent dans la jeunesse.

Comment pouvons-nous demander à nos enfants d'acquérir de bonnes manières et de bonnes habitudes sociales si nous les faisons manger à part et dans la solitude, si nous donnons nous-mêmes le mauvais exemple en mangeant devant la télévision, si nous oublions de rendre aux repas leur valeur sociale ? Cela vaut la peine de faire des repas en commun un moment de détente et de plaisir. Il devrait être possible de se réunir au moins une fois par jour à table. Le petit déjeuner est souvent pris à la hâte, mais le déjeuner ou le dîner peuvent être l'occasion d'un rattrapage.

S'il vous est impossible de rassembler toute la famille, vous pouvez au moins vous asseoir vous-même avec votre bébé et ne prendre qu'un petit quelque chose ou une tasse de thé tandis qu'il mange. Tout au moins, établissez une ou deux fois par semaine, ou le week-end, un repas familial rituel afin de ne pas oublier complètement les usages. Votre enfant apprendra à votre contact la valeur de cette intimité et aura plaisir à la partager.

QUE FAIRE S'IL NE VEUT PAS MANGER ?

Les jeunes enfants n'ont pas tellement de moyens d'agir sur leur entourage. L'une des seules armes à leur disposition est de refuser ou d'accepter leur nourriture. Dès leur plus jeune âge, ils jaugent la réaction de leurs parents devant leur propre comportement et apprennent que leurs actes peuvent influer sur une situation.

Bien des parents frustrés et épuisés sont venus me demander ce qu'il fallait faire face à un enfant qui refuse purement et simplement de manger, ou qui ne mange que ce qu'on finit par lui offrir en désespoir de cause (des chips ou des biscuits par exemple). Voici mes conseils pour l'inciter à modifier son comportement :

1 Ne vous inquiétez pas ! Votre enfant ne mourra pas d'inanition, il finira par avoir faim et par manger. C'est là ce qui tourmente le plus les parents, conditionnés pour s'inquiéter quand leur enfant ne mange pas. Ce genre de conflit a bien souvent des conséquences psychologiques complexes. S'il saute quelques repas, ses réserves lui permettront d'y faire face. Bien entendu, si la situation s'éternise et que votre enfant devient anorexique, vous devez consulter un médecin. Mais, dans 99 % des cas, il se mettra à manger dès que le bras de fer sera terminé.

2 Reconnaissez que les enfants n'ont pas tous le même appétit, comme les adultes d'ailleurs. Nombreux sont ceux qui mangent davantage avant une poussée de croissance afin de constituer des stocks de graisse, puis ont moins faim au cours de la poussée elle-même. Ne faites pas de ces phases l'occasion d'un chantage à la nourriture ; un enfant qui mange peu à un repas se rattrape au repas suivant.

3 Ne cédez pas à la tentation de donner n'importe quoi à votre enfant juste pour le faire manger. Ce serait le début d'un cycle infernal au cours duquel la nourriture ne serait plus qu'une arme.

4 S'il n'aime pas un aliment, ne le forcez pas, mais il y a une différence entre ne pas aimer et vouloir autre chose, cette autre chose étant bien souvent plus sucrée ou plus salée.

5 Ne servez que les plats savoureux. Vous non plus, vous n'aimez pas les bouillies fades. Planifiez les repas.

6 Mieux vaut éviter de distraire votre enfant avec des jouets ou des mimiques tandis qu'il mange. Les enfants qui mangent mal oublient vite que leur activité principale doit être le repas.

7 Quoi qu'il arrive, n'en faites pas toute une histoire si votre enfant refuse ce que vous lui avez préparé : cela enclencherait une escalade vers la guerre. Pour épargner vos nerfs quand un repas amoureusement cuisiné est refusé, ayez toujours à la maison de quoi servir un en-cas sain et nourrissant (voir page 104), préférable aux aliments industriels. S'il refuse également le plat offert en remplacement, n'insistez pas. Il aura faim au repas suivant.

8 Il est tout à fait normal qu'un enfant patraque refuse sa nourriture. Cesser de s'alimenter est le premier réflexe des animaux et des enfants malades. Les adultes sous-estiment souvent ce phénomène, croyant qu'il faut prendre des forces. Or c'est le contraire qui est vrai. La digestion détournerait beaucoup d'énergie de la lutte contre la maladie. L'organisme dispose de réserves suffisantes pour jeûner longtemps s'il le faut. Si manger ne lui dit rien pendant une maladie, ne le forcez pas. Donnez-lui beaucoup à boire, et quand il ira mieux son appétit reviendra.

MANGER SAIN POUR ÊTRE BIEN

Les enfants ont des goûts et des dégoûts, comme nous. Si le vôtre n'aime pas tel ou tel aliment, ne le contraignez pas à en manger. Vous essaierez à nouveau plus tard, sous une autre forme peut-être. Si votre enfant refuse en bloc tous les membres d'une famille d'aliments, la viande ou les légumes par exemple, ne vous affolez pas. Vous pourrez toujours leur trouver un remplaçant ou les déguiser habilement (voir pages 70 et 74).

Si vous proposez un choix à votre enfant et qu'il refuse subitement ce qu'il réclamait un quart d'heure avant, rappelez-vous qu'un quart d'heure, c'est très long pour un petit. Il ne veut peut-être plus ce qui l'attirait à ce moment-là. Restez calme, cela arrive ; il est peu probable qu'il cherche à mettre votre patience à l'épreuve.

LUBIES ET PHOBIES

Il n'est pas rare qu'un enfant passe par une phase au cours de laquelle il n'accepte que certains plats : les tartines de confiture, les saucisses, les pommes de terre. Là encore, ce n'est pas la peine de vous inquiéter. À brève échéance, c'est sans danger, et à long terme il y a toutes les chances qu'il change d'avis. Si cette lubie ne lui passe pas, réfléchissez à ce que vous lui proposez à manger : est-ce appétissant, savoureux, est-ce que cela sent bon ? Relisez les huit conseils de la page 109. La pression de l'entourage peut s'avérer salutaire. Souvent, les enfants veulent des bonbons parce que leurs amis en ont, et cette émulation peut être exploitée pour la bonne cause : invitez un ou deux amis de votre enfant (pourvu qu'ils mangent bien) à venir dîner chez vous une ou deux fois et vous rétablirez de meilleures habitudes par l'exemple.

Une maman m'a rapporté une scène intéressante, qui s'est déroulée au moment où son fils s'est mis à refuser les légumes. Alors qu'il mangeait avec un petit ami, la nounou de celui-ci s'est agenouillée près de lui et s'est mise à lui faire la conversation. À chaque fois qu'il ouvrait la bouche pour répondre, elle lui mettait une cuillerée de légumes dans la bouche le plus calmement du monde, puis, avant qu'il ait pu réagir, changeait de sujet. Souvent, un adulte autre que les parents, que l'enfant connaît et en qui il a confiance, peut ainsi inverser une tendance comportementale négative. Le parent peut assister à l'entretien, mais mieux vaut qu'il reste hors du champ de vision de l'enfant, pour éviter que celui-ci puisse exercer un chantage.

Je crois qu'il y a une énorme différence entre un changement occasionnel et une modification profonde du comportement. Dans le dernier cas, il faut soupçonner une détresse cachée. Si la perte d'appétit reste brève et ne s'accompagne d'aucun autre changement dans le comportement de l'enfant, il ne faut pas s'inquiéter, même en cas de récidive. En revanche, si d'autres troubles se manifestent (perte de sommeil, agitation, repli sur soi, anxiété, irritabilité, pleurs inhabituels, douleurs diverses ou tout autre symptôme), il faut rechercher une maladie ou une souffrance plus grave.

RESTEZ RÉALISTE

Nous voulons donner à nos enfants ce qu'il y a de mieux, mais, bien souvent, les circonstances se ligueront contre vous pour que vous ne puissiez pas nourrir votre enfant comme il le faudrait. Je crois qu'il est possible de très bien nourrir son enfant 70 à 80 % du temps, ce qui représente déjà une belle performance.

Pour expliquer la situation à mon jeune fils lorsque nous mangeons au-dehors, là où la nourriture n'est pas toujours aussi saine que je le souhaiterais, je lui dis que nous mangeons d'une certaine façon à la maison et d'une autre façon ailleurs. Il accepte bien cette explication et se régale à l'occasion d'une glace ou d'une crème au restaurant, sans pour autant m'en réclamer à la maison : en effet, ces douceurs sont pour lui associées à des rituels extérieurs.

L'une des plus graves erreurs serait d'exiger à grands cris les « bons » aliments hors de chez soi : votre enfant en concevrait une certaine honte de sa façon de manger et ne penserait plus qu'à se procurer les desserts interdits.

Certaines substitutions s'opèrent facilement sans même qu'un enfant s'en aperçoive : des galettes d'avoine au lieu de biscuits, des crackers de riz au curry au lieu de chips… Mais dans certains cas, cela s'avère impossible. Il faut alors essayer de limiter les dégâts : choisissez un dessert aux fruits et non une coupe aux trois chocolats à la chantilly.

Les enfants souffrant d'une allergie vraie, qui doivent absolument éviter un aliment particulier, savent se montrer raisonnables si on leur explique qu'ils risquent d'être malades après en avoir mangé. Ils sont capables de comprendre cela vers 2 ans et s'avèrent parfois plus vigilants que les parents eux-mêmes.

TOUT LE MONDE A UNE OPINION

Toutes les personnes dont vous solliciterez l'opinion auront un conseil à vous donner. Demandez à dix personnes comment il faut nourrir votre enfant, vous obtiendrez dix réponses différentes. Alors, la première règle, c'est d'avoir le courage de vos opinions et de vous documenter vous-même.

Moi qui étudie ce sujet depuis des années, je bénéficie de mon expérience professionnelle, acquise auprès de mamans et d'enfants, en plus de ma propre expérience de mère. Je vous recommande néanmoins de fonder votre propre avis sur vos constatations, par rapport à vos enfants.

Vous verrez que même les gens à qui vous ne demandez rien ont un conseil à donner. C'est surtout le cas si, par exemple, vous ne voulez pas que votre enfant mange de bonbons, si vous craignez qu'il ait une allergie alimentaire, si vous voulez qu'il soit végétarien ou qu'il ne mange pas de produits laitiers par mesure de prudence.

« J'en ai mangé étant petit et ça ne m'a jamais fait de mal », « il a besoin de sucre pour avoir de l'énergie », « tu vas entraver sa croissance », « tu vas en faire un paria » : ce ne sont que quelques-uns des commentaires que j'ai entendus ou que l'on m'a rapportés.

Bien sûr, cela peut valoir la peine de se remettre en question (les grands-mères ont parfois raison). Mais si vous avez décidé d'agir d'une certaine façon et que cela vous convient, campez sur vos positions. Cet enfant est le vôtre et ce serait à vous de faire face aux éventuelles conséquences d'une alimentation mal adaptée. S'il existe un désaccord au sein de la maison, par exemple entre vous et l'autre parent, prenez un moment pour vous asseoir ensemble devant une feuille de papier sur laquelle vous ferez une liste des avantages et des inconvénients liés aux choix alimentaires qui font l'objet du conflit. La solution se fera bientôt jour d'elle-même. Si vous n'aboutissez pas, essayez d'appliquer l'une des méthodes pour un certain temps, puis de passer à l'autre. Vous verrez bien laquelle convient le mieux à votre enfant. Un grand enfant a également son mot à dire. Attention, n'oubliez pas qu'il s'agit d'un être humain et non d'un cobaye.

Enfin, préparez une stratégie si vous pensez qu'une situation difficile est susceptible de se présenter plusieurs fois, par exemple au sujet des bonbons que les grands-parents apportent à chaque fois qu'ils viennent et qu'ils croient sans danger parce que cela n'arrive pas souvent. Il faudra peut-être les convaincre de montrer leur amour d'une autre manière, par exemple en donnant à votre enfant des coloriages qu'ils pourront faire avec lui. Avec un peu de réflexion, vous pourrez éviter que les mêmes problèmes se reposent sans cesse. Quant aux entorses isolées à vos principes, elles ne feront pas grand mal en fin de compte.

À L'ÉCOLE
ET CHEZ LES AMIS

Je crois que cette question mérite qu'on s'y arrête, car beaucoup d'enfants déjeunent régulièrement à la crèche, à l'école maternelle ou chez une nourrice. La première surprise viendra peut-être du comportement différent de votre enfant, qui peut accepter au-dehors ce qu'il refuse à la maison.

Dans la plupart des structures collectives, le personnel est habitué aux problèmes alimentaires, en particulier en ce qui concerne les allergies et la consommation excessive de sucre. Commencez par étudier un menu hebdomadaire typique. Si l'enfant ne déjeune au-dehors que deux fois par semaine, il est inutile que vous vous tracassiez parce qu'on lui sert des pâtes classiques et non complètes ou du riz blanc au lieu de riz brun. Toutefois, je conseille toujours aux parents d'insister pour qu'on évite de donner à leurs enfants des sucres en abondance et tout allergène qui pourrait déclencher des troubles.

Dans les écoles, le personnel accepte en général de se plier à ces recommandations et se contente de laisser de côté la crème au caramel, le yaourt aux fruits ou la sauce à la crème. Voyez s'il est possible d'avoir un fruit pour dessert,

après un plat composé de viande et de légumes. À vous aussi de glisser dans la poche de votre enfant un en-cas facilement transportable tel que galettes d'avoine ou de riz, fruits ou raisins secs pour pallier les fringales. La frontière est floue entre l'enfant qui mange sainement et l'enfant qui se sent différent des autres, mais jusqu'à l'âge de 2 ou 3 ans, il ne s'apercevra de rien.

LES REPAS D'ANNIVERSAIRE ET AUTRES PIÈGES
À moins que votre enfant n'ait un cercle d'amis particulièrement étendu, les invitations sont assez peu fréquentes. Le gros problème ici, c'est le sucre. Il peut causer des insomnies, une hyperactivité et des maux d'estomac, surtout chez l'enfant qui n'y est pas habitué. Mon conseil : lâchez la bride pour presque tous les plats présentés, essayez de rassasier votre enfant avec ceux qui ne lui feront pas de mal : croquettes de poulet, petits sandwichs, tomates cerises, gressins, chips de maïs, raisins secs, jus d'orange dilué. Ensuite, il n'aura plus faim ou sera trop occupé à autre chose pour s'intéresser au reste. Évitez les boissons sucrées, les desserts et les dragées au chocolat multicolores, les mini-biscuits, mais laissez-le

manger une petite part de gâteau (pas trop de glaçage). En général, cette stratégie donne de bons résultats.

Si vous devez vous rendre à une fête où, à votre avis, la nourriture sera loin d'être irréprochable, donnez à manger à votre enfant avant de partir, pour émousser son appétit. Il m'est arrivé de remplir des sachets de chips avec des pétales de maïs sans sucre. Ils croustillent tout autant et aucun des enfants n'a paru se rendre compte de la supercherie ! Si c'est vous qui recevez, vous n'aurez qu'à préparer un buffet équilibré (voir page 154).

⊰ LA QUESTION DU CHOCOLAT ⊱

De nombreux parents refusent de donner du chocolat à leurs enfants, pour éviter de développer en eux une gourmandise irrépressible. Certains adultes, drogués du chocolat, trouvent une multitude de justifications à leur faiblesse. Quels sont les avantages et les inconvénients du chocolat ?

INCONVÉNIENTS

Le chocolat destiné aux enfants est le plus souvent au lait et extrêmement sucré. En conséquence, l'impact sur la glycémie est loin d'être négligeable (voir page 62). Ces produits ne sont vraiment pas bons pour les enfants. Le chocolat est également riche en caféine, qui est un stimulant puissant. Quant à la fabrication, elle est parfois douteuse, car elle fait appel à de nombreux additifs et colorants.

AVANTAGES

Le chocolat noir, de préférence à 70 % de cacao, n'a qu'un effet très limité sur la glycémie. C'est une bonne source de calcium et de magnésium, ainsi que de phénol, qui empêche l'oxydation du cholestérol LDL et abaisse ainsi le risque de maladies cardio-vasculaires. Sa teneur en caféine reste toutefois élevée.

Comme les enfants aiment imiter leurs amis, je crois qu'il n'est pas bien méchant de râper de temps en temps un peu de chocolat biologique à 70 % de cacao sur les desserts ou sur un gâteau à la farine complète. Une petite quantité suffit à apaiser le désir de l'enfant de manger quelque chose d'interdit. Si votre enfant est très sensible à la caféine, supprimez cette gourmandise.

9

JE MANGE, DONC JE GUÉRIS

Si vous adoptez une attitude positive, vous serez étonné de la facilité avec laquelle vous transformerez les problèmes en simples défis à relever. Il est toujours bon d'être positif lorsqu'on élève un enfant, car la route qui mène à l'âge adulte est semée d'embûches. Les difficultés courantes que nous allons aborder ici peuvent toutes se concevoir comme des occasions d'approfondir vos connaissances. Ce ne sera peut-être pas votre impression en période de crise, mais un changement d'attitude permet de mieux accepter les problèmes.

UNE BONNE IMMUNITÉ POUR LA VIE

Comment faire pour augmenter les chances de votre enfant dans la lutte permanente que son organisme mène contre le monde extérieur ? Voici quelques mesures essentielles.

Forcez sur les antioxydants Ce groupe de nutriments rassemble les vitamines, les sels minéraux et d'autres substances chimiques naturelles qui combattent les radicaux libres (molécules instables qui attaquent les cellules). Les molécules des antioxydants se libèrent et viennent s'attacher aux radicaux libres, de manière à les stabiliser avant qu'ils aient causé trop de dégâts. Avec un bon apport d'anti-oxydants, les dommages causés à chaque cellule plus de 10 000 fois par jour par les radicaux libres sont considérablement réduits. On pense aujourd'hui que les radicaux libres sont directement impliqués dans plus de 80 maladies, parmi lesquelles le cancer, les maladies cardio-vasculaires, le diabète, l'asthme, la dégénéres-

cence maculaire, la cataracte, les maladies d'Alzheimer et de Parkinson, et même les signes extérieurs de vieillissement.

On trouve des antioxydants dans les fruits et les légumes frais. Plusieurs études ont démontré qu'en consommer cinq portions quotidiennes réduisait nettement les risques de cancer et de maladies cardiaques. En plus des antioxydants (les vitamines A, C et E, le zinc et le sélénium), il faut aussi penser aux vitamines du groupe B et aux oligoéléments (chrome et magnésium) qui ont une action comparable, car ils équilibrent le fonctionnement énergétique et réduisent les effets oxydants du stress.

Il existe toute une série de phytonutriments (voir page 72) et de flavonoïdes dotés d'une action antioxydante. Ces substances ne sont autres que les pigments naturels qui donnent leur couleur aux fruits et aux légumes. Une assiette de légumes multicolores augmente donc l'apport en antioxydants de votre enfant (voir ci-dessous).

LES ANTIOXYDANTS

COULEUR	SOURCES ALIMENTAIRES	COMPOSÉS	PROPRIÉTÉS
Rouge	Tomates, pomelos roses, pastèque	Lycopène	Antioxydant Anticancéreux
Orange	Carotte, abricot, papaye, melon, courge, mangue	Bêta-carotène et autres caroténoïdes	Anticancéreux
Jaune	Maïs, poivron jaune	Bêtacarotène	Anticancéreux
	Curcuma, cumin Moutarde	Curcumine Isothiocyanates	Anticancéreux Anticancéreux
Vert	Chou, choux de Bruxelles, chou frisé, brocolis, haricots verts	Chlorophylle	Riche en magnésium, inhibe certains cancérigènes
Violet	Myrtille, mûre, raisin noir, cerise	Anthocyanates Proanthocyanates	Anti-inflammatoire Facilite la production de collagène, bon pour la vue et la circulation

Un équilibre bactériologique optimal Veillez à ce que l'équilibre bactériologique intestinal de votre enfant soit excellent. Tout déséquilibre surcharge le système immunitaire, qui doit lutter contre les bactéries pathogènes. Les causes les plus courantes de déséquilibre sont l'allaitement artificiel, les antibiotiques et un manque de fibres. Les symptômes chez l'enfant sont des gaz excessifs et des épisodes répétés de diarrhée ou de constipation. Une atteinte cutanée peut être un indicateur supplémentaire, la peau étant un organe excréteur sur lequel apparaissent les troubles de fonctionnement de l'intestin. Pour maintenir un bon équilibre, donnez à votre enfant beaucoup de fibres solubles : des fruits, des légumes et des céréales. Si nécessaire, et surtout après un traitement par antibiotiques, complétez cet apport avec un supplément en poudre à boire spécialement formulé pour les nourrissons (voir page 122).

Identifiez les allergies Si vous pensez que votre enfant est peut-être allergique à certains aliments, identifiez ceux-ci (voir page 96) et efforcez-vous de les supprimer de son alimentation. Les allergies fatiguent le système immunitaire et le détournent de sa lutte sur d'autres fronts.

Donnez-lui beaucoup d'eau Assurez-vous que votre enfant boit assez d'eau. L'eau élimine les toxines et soulage ainsi le système immunitaire.

La vitamine C Tout d'abord, c'est un antiviral et un antibactérien. Des expériences de laboratoire ont montré que les virus meurent dans un environnement riche en vitamine C. De plus, elle est essentielle pour la production de globules blancs, qui forment le gros des troupes dans l'armée immunitaire. Un déficit en vitamine C entraîne un manque de globules blancs. Si tout cela ne suffisait pas, la vitamine C est également indispensable à la production de collagène. Celui-ci solidarise les cellules entre elles, ce qui les rend moins vulnérables faces aux organismes exogènes contre lesquels elles sont en première ligne. Enfin, la vitamine C, en plus d'être un antioxydant puissant, possède la faculté étonnante de protéger la vitamine E (également antioxydante) ; l'organisme puise moins souvent dans ses réserves et ne dépend plus autant des apports alimentaires. Une ou deux fois par jour, je donne à mon enfant une dose de vitamine C en poudre de bonne qualité, diluée dans sa boisson.

DES DENTS SAINES

À la naissance, les dents sont déjà entièrement formées et, bien alignées dans les gencives, n'attendent plus que de sortir.

Pour avoir de belles dents, les besoins sont les mêmes que pour avoir un bon squelette : un apport suffisant en calcium, en magnésium, en vitamines C et D, en zinc et en bore (le bore se trouve dans de nombreux légumes, ainsi que dans les pommes, les poires, le raisin et les fruits à coque). Les apports nécessaires à des gencives saines sont tout aussi importants : de la vitamine C pour la formation des tissus connecteurs, de la vitamine A pour l'intégrité des muqueuses, du zinc, des acides gras essentiels et une substance synthétisée par l'organisme, la coenzyme Q_{10}.

Le fluor contenu dans le fluorure de sodium (principe actif des dentifrices) se fixe très facilement sur le calcium, ce qui explique pourquoi il solidifie les dents. Mais je trouve dangereux de donner à un jeune enfant, dont les os sont en plein développement, une substance qui se fixe sur le calcium, durcit les os et réduit le renouvellement des tissus osseux, alors que ce processus est essentiel pour la croissance. Il est très difficile d'équilibrer l'apport en fluor, surtout quand on utilise des produits fluorés dans des zones où l'eau du robinet est déjà supplémentée. L'apport recommandé pour renforcer les dents est d'une partie pour un million (1 ppm). Il ne faut pas dépasser 2 mg par jour, car le fluor est un produit toxique. L'un des signes d'une hyperfluorose est l'apparition de taches grises irréversibles sur les dents. Le fluor est également impliqué dans des maladies du vieillissement telles que l'ostéoporose, dans les troubles thyroïdiens et le cancer.

Je choisis une pâte dentifrice sans fluor ou au fluorure de calcium. On en trouve dans les magasins de produits naturels. Vous pouvez aussi demander à votre dentiste de badigeonner les dents de votre enfant avec du fluor tous les six mois : la dose est mieux maîtrisée et, si le praticien est habile, l'enfant n'en avale pas. Deux ans est probablement le meilleur âge pour une première visite chez le dentiste.

TRÈS ACTIF
OU HYPERACTIF?

Selon moi, un enfant bien nourri, dont l'alimentation est bien composée, est heureux et calme, parfois turbulent, mais pas hyperactif. En plus de l'hyperactivité, on distingue un autre trouble, l'instabilité psychomotrice ou déficit d'attention, mais les deux vont souvent de pair. Pour lutter contre les difficultés de concentration, on donne parfois de la Ritaline, médicament stimulant qui, paradoxalement, a des effets soporifiques chez l'enfant.

Je crois que l'alimentation devrait être le premier souci des parents inquiets, avant tout recours à un sédatif lourd.

Les premières questions à se poser sont celles-ci : l'enfant est-il vraiment hyperactif, ou est-il simplement un peu trop actif à votre goût ? N'a-t-il pas simplement du mal à fixer son esprit ? Cherche-t-il à attirer votre attention ? S'ennuie-t-il ? Il n'est peut-être pas hyperactif du tout. Pour le savoir, regardez si votre enfant est capable de rester sans bouger pendant un moment, de jouer tranquillement ou de se consacrer à une tâche minutieuse. Si cela lui arrive à l'occasion, c'est qu'il est simplement turbulent le reste du temps. Il est possible que ses périodes les plus actives coïncident avec les moments où vous vous sentez vous-même épuisé, ce qui renforce votre impression. Les facteurs responsables de l'hyperactivité sont nombreux, mais je me limiterai ici à présenter les aspects nutritionnels à surveiller.

Le sucre Le sucre est souvent à l'origine du problème, et agir sur ce front peut suffire pour soulager l'enfant. En tout cas, il n'est pas question de se montrer conciliant sur ce point si votre enfant manifeste des signes d'hyperactivité. Celle-ci n'est parfois qu'une réaction à une hausse subite de la glycémie ; il n'y a qu'à observer un enfant fatigué se transformer après avoir bu une boisson sucrée pour s'en rendre compte. Évitez tous les sucres et tous les hydrates de carbone raffinés, et efforcez-vous de maîtriser la glycémie de votre enfant (voir page 62).

Les additifs et les colorants alimentaires C'est l'autre grand facteur déclenchant. Un colorant jaune en particulier, la tartrazine (E102), a été identifié dans des cas d'hyperactivité. Évitez tous les aliments susceptibles de contenir des additifs.

🌾 LES SALICYLATES 🌾

Les salicylates, cousins de l'aspirine, sont des substances chimiques naturelles que l'on trouve dans de nombreux fruits et dans quelques légumes. Ils semblent impliqués dans l'apparition de l'hyperactivité. Le régime mis au point par le Dr Feingold comporte très peu de salicylates. Il a publié un livre sur le sujet (voir page 184). Si les deux mesures exposées ci-dessus ne donnent rien, étudiez cette piste.

Les intolérances alimentaires Certaines intolérances, surtout au froment, sont peut-être impliquées. Les autres céréales peuvent aussi être suspectes. Une allergie vraie est parfois à la source du problème, par exemple une allergie au pollen ou aux poils d'animaux. La majorité des enfants hyperactifs appartiennent à des familles d'allergiques.

Les acides gras essentiels Les lipides les plus susceptibles de réduire les symptômes de l'hyperactivité sont le GLA, l'EPA, le DHA et l'AA, qui sont tous disponibles sous forme de suppléments (voir aussi page 46). Il peut être utile de vérifier que l'enfant ne manque pas d'acides gras essentiels.

L'intoxication aux métaux lourds et les autres causes Les métaux lourds, en particulier le plomb, l'aluminium ou le cuivre, peuvent causer des troubles nerveux. Si vous pensez que c'est là l'origine du problème, réduisez le plus possible l'exposition aux polluants (voir page 95) et consultez un thérapeute nutritionniste, qui prescrira peut-être des examens tels que l'analyse de la composition minérale des cheveux. Celle-ci mettra en évidence une éventuelle carence en zinc ou en magnésium. Il est également possible de doser le zinc au moyen d'une analyse de la sueur, et le magnésium sanguin par une prise de sang. À mon avis, le prélèvement d'un cheveu est moins impressionnant et le matériel d'analyse est maintenant très précis. Grâce à une analyse d'urine, on pourra aussi évaluer un déséquilibre des acides aminés, si importants pour le fonctionnement cérébral et le « réglage » des neurotransmetteurs.

Les enfants hyperactifs ont quelquefois besoin d'une alimentation plus riche en protéines, leur métabolisme étant plus rapide ; pour un jeune enfant, une surveillance médicale s'impose. Le fonctionnement thyroïdien doit aussi être évalué, au cas où l'enfant aurait une légère hyperthyroïdie. Là encore, le problème peut être résolu par l'identification d'éventuelles allergies alimentaires et par la suppression du sucre.

TROP MAIGRE, TROP GROS...

Tous les adultes n'ont pas la même corpulence, et il en va de même pour les enfants. Le monde ne serait-il pas bien ennuyeux si nous étions tous pareils? Nous savons tous comment doit être l'enfant moyen, mais votre enfant est unique. Son héritage génétique est pour beaucoup dans sa silhouette, et rien n'empêche qu'il tienne de votre oncle maternel, par exemple. Toutefois, si le poids de votre enfant vous inquiète, voici quelques indications.

L'ENFANT FLUET

Les bébés perdent un peu de poids (quelques dizaines de grammes) dans les deux ou trois premières semaines de la vie. C'est tout à fait normal.

La croissance se fait par saccades. Il est normal qu'un petit ne grossisse pas pendant plusieurs semaines, puis se mette à pousser d'un coup. Si votre enfant a été malade, il sera provisoirement un peu plus petit que la moyenne. Si cela s'éternise, le médecin diagnostiquera peut-être un retard de croissance. Ce terme signifie que l'enfant ne grandit pas et ne grossit pas au rythme voulu et que sa croissance est irrégulière sur une période prolongée.

Si votre enfant ne mange pas et qu'il reste fluet, ce qui est très rare, posez-vous les questions suivantes :

• Est-il affecté par certains événements? Une perte d'appétit provient parfois d'un stress émotionnel.
• Préférerait-il grignoter souvent au lieu de prendre peu de repas abondants (ou l'inverse)?
• Lui donnez-vous des repas trop légers? La mode actuelle des régimes à basses calories chez les adultes ne convient pas aux enfants. Ils doivent puiser une bonne partie de leurs calories dans les lipides, mais pas n'importe lesquels (voir page 46).
• Est-il sous pression au moment des repas? Si les parents sont anxieux sur la nourriture prise, les quantités avalées, etc., l'enfant est pris dans un réseau d'associations négatives. Les repas sont-ils joyeux ou lugubres? Les enfants suivent l'exemple de leurs parents, dans le bon comme dans le mauvais sens.
• A-t-il assez de temps pour manger? Certains petits ont besoin d'une heure pour finir leur assiette.

Si le problème est aigu et que les conseils médicaux et psychologiques restent sans effet, il sera peut-être utile d'explorer la piste nutritionnelle. Consultez un nutritionniste de renom; il vous aidera à corriger d'éventuels déséquilibres biochimiques. Par exemple, un manque de zinc peut causer une anorexie, de même qu'une carence en acides gras essentiels. Certains nutritionnistes se spécialisent en thérapie par les acides aminés; ceux-ci sont parfois remarquablement efficaces pour rétablir l'équilibre des neurotransmetteurs et, par voie de conséquence, raviver l'appétit.

L'ENFANT ENROBÉ

Juste après la guerre, le bébé idéal était une petite boule grasse avec de bonnes joues rouges. Nous nous sommes heureusement éloignés de ce stéréotype, mais les bébés ont réellement besoin de réserves de graisse pour se développer harmonieusement.

J'ai pu constater que les enfants correctement nourris deviennent rarement gros. Il faut bien entendu tenir compte des facteurs génétiques, mais j'estime que les habitudes alimentaires se transmettent tout comme les gènes, ce qui nous prédispose à rencontrer les mêmes problèmes de poids et de santé que nos parents. Examinez donc votre propre alimentation. Trouvez-vous juste d'exiger que votre enfant mange des pommes et des galettes de riz, alors que vous avalez des biscuits et du chocolat?

Tout commence parfois dès le berceau, surtout pour les bébés nourris au biberon. Cela est imputable à la haute teneur en graisses saturées des laits maternisés, ainsi qu'à la tentation de trop nourrir le nouveau-né, ce qui est presque impossible quand on allaite.

Chez l'enfant, un léger embonpoint est généralement passager : ces réserves aidant l'organisme à traverser plusieurs crises de croissance, il est sage d'attendre qu'elles se résorbent spontanément au fil des ans.

Si vous pensez que votre enfant est réellement trop gros, réfléchissez à vos habitudes et relisez les conseils de ce livre. Si vous déplorez que votre enfant soit extrêmement gourmand et se gave de bonbons, de beignets et de gâteaux, posez-vous cette question : «Ces aliments gras, qui les lui donne ?» Il ne se rend tout de même pas à un goûter d'anniversaire tous les jours ! Lisez le paragraphe intitulé «Restez réaliste» (page 110) et appliquez le principe suivant : on mange d'une certaine façon à la maison et d'une autre quand on sort.

L'idée de mettre au régime un jeune enfant (et même un grand enfant ou un adulte, d'ailleurs) me répugne. Cette expression suppose que l'on prenne des mesures temporaires et véhicule des connotations négatives et restrictives (contrôle des calories et des lipides). Les régimes déclenchent un effet Yo-Yo, une alternance sans fin de prises et de pertes de poids. Je trouve préférable de modifier pour longtemps son alimentation en y faisant la part belle aux «bonnes» graisses, aux hydrates de carbone complexes tels que haricots et légumes secs, aux fruits et aux légumes. Il s'agit aussi de réduire au maximum les sucres, les hydrates de carbone raffinés, la viande rouge, les graisses saturées ou hydrogénées, les fritures, les plats préparés et les jus de fruits en excès.

SOIGNER LES AFFECTIONS BÉNIGNES

Quand on discute avec d'autres parents, on s'aperçoit immédiatement que de nombreux enfants sont régulièrement atteints de maladies récurrentes. Certaines sont bénignes, d'autres plus inquiétantes. En tout cas, elles sont fatigantes pour l'enfant, mais aussi pour les parents.

Nous pouvons faire beaucoup pour soulager ces petits maux et éviter leur réapparition, ou même pour les épargner totalement à nos enfants. Les conseils qui suivent doivent être appliqués avec discernement. Restez vigilant pour éviter que le problème n'échappe à votre contrôle et, en cas d'inquiétude, appelez le médecin.

LES ANTIBIOTIQUES

Les antibiotiques ne sont évidemment pas une maladie. J'ai voulu en parler ici parce qu'il est devenu habituel de soumettre les enfants à des traitements par antibiotiques très tôt. C'est parfois justifié, mais pas toujours. Les antibiotiques peuvent être utiles, et même sauver des vies, à condition d'être prescrits à bon escient. Comme beaucoup de parents, je rechigne un peu à en donner à mon fils. Une utilisation excessive peut mener à une résistance plus tard dans la vie, affaiblir le système immunitaire et, de manière plus immédiate, déséquilibrer la flore intestinale, si importante pour la santé (voir page 18). D'inquiétantes statistiques ont mis en évidence l'apparition de souches de méningite dans les régions du monde où l'on consomme le plus d'antibiotiques. La France détient le record mondial de consommation d'antibiotiques.

Si vous devez en administrer à votre enfant, je vous recommande vivement de remplacer les bonnes bactéries qui seront inévitablement détruites avec les mauvaises. À la fin du traitement, donnez-lui au biberon, ou mélangé à une compote, une dose d'ultra-levure (vendu en pharmacie).

Si, d'un commun accord avec votre médecin, vous pensez que la maladie n'est pas assez grave pour mériter un traitement antibiotique, il existe des antibactériens naturels : l'ail, la propolis, le miel de manuka, originaire de Nouvelle-Zélande et doté de propriétés antibiotiques uniques, le suc d'aloès, l'huile essentielle de *Melaleuca alterifolia*, l'extrait de pépins de pamplemousse (à appliquer dilué, toujours topiquement pour l'enfant, et loin des yeux). Suivez bien les indications du fabricant.

L'ASTHME

Cette affection, qui peut être grave, doit être traitée. La thérapie actuelle, qui consiste à administrer de fortes doses de corticoïdes, semble donner de bons résultats, même si l'on peut craindre les conséquences d'un tel traitement sur le système immunitaire à l'âge adulte. L'asthme est souvent présent dans les familles dites «atopiques», c'est-à-dire génétiquement prédisposées aux réactions allergiques (asthme, eczéma et migraine). On dit souvent que «cela passe avec l'âge», et c'est parfois le cas, du moins en apparence. L'asthme est en pleine recrudescence (près d'un enfant sur dix en souffre), et il est imputé à

des niveaux de pollution croissants. Les facteurs déclenchants, à ne pas confondre avec les causes profondes, sont les déjections d'acariens, les poils d'animaux, les changements de température de l'air, les allergies, la pollution atmosphérique, les infections, le stress et certains médicaments. Les grandes villes sont bien sûr particulièrement touchées, mais aussi certaines zones rurales, peut-être à cause d'une trop grande concentration de substances agrochimiques dans l'air.

Quelques aspects de cette maladie méritent réflexion. Tout d'abord, le diagnostic est souvent erroné chez les très jeunes enfants, peut-être parce que certains médecins ne prennent pas le temps d'étudier tous les facteurs en présence.

Ensuite, les facteurs déclenchants ne font que révéler un problème existant. Il faut toujours chercher des facteurs profonds : la pollution, l'alimentation, les réserves de nutriments. Enfin, quant à savoir si l'asthme passe avec l'âge, je crois surtout que l'organisme s'adapte pour rétablir son équilibre et que les symptômes ne régressent que pour réapparaître quelques années plus tard sous forme de migraine, de syndrome du côlon irritable ou de fatigue chronique, par exemple.

Vous avez peut-être remarqué que je reviens sans cesse à l'allergie au froment et aux produits laitiers, ainsi qu'aux carences en acides gras essentiels. En effet, ces troubles très répandus peuvent causer des maladies différentes d'un enfant à l'autre. En ce qui concerne l'asthme, les produits laitiers, surtout ceux au lait entier, sont connus pour leurs propriétés pro-inflammatoires. Quant au froment, il stimule la production d'histamine. Si vous allaitez au sein, rappelez-vous que le froment ou les produits laitiers que vous absorbez peuvent avoir autant d'effet sur le bébé que s'il les mangeait directement. Les acides gras essentiels, surtout les oméga 3, sont des bronchodilatateurs. Il faut être prudent avec les oméga 6 tels que l'huile d'onagre, car un abus peut favoriser les inflammations. Équilibrer les apports en acides gras essentiels des deux types est important. (Pour les mêmes raisons physiologiques, les asthmatiques ne tolèrent pas l'aspirine.) Le GLA et l'EPA (voir page 48) peuvent être particulièrement importants pour les asthmatiques atopiques, qui ont du mal à transformer les acides gras essentiels en prostaglandines (anti-inflammatoires).

Les asthmatiques doivent boire suffisamment et surveiller leur apport en zinc et en bêta-carotène. Pour maîtriser la prolifération des acariens, tenez les literies dans un état de propreté irréprochable et remplacez tapis et moquettes par du parquet, du linoléum ou du carrelage. Il existe aussi des bombes antiacariens.

LES COLIQUES DU NOURRISSON

Les coliques du nourrisson culminent entre 2 et 5 mois. Leur origine n'est pas élucidée, mais il est possible de les soulager ou de les guérir en appliquant quelques mesures utiles. La première chose à faire est de supprimer tous les aliments contenant du froment et tous les produits laitiers; si l'enfant est au sein, la mère doit cesser d'en manger. Selon une étude, 70 % des nourrissons nourris au biberon ont vu leurs coliques soulagées par un lait ne contenant pas de protéines du lait de vache. On peut aussi envisager de supprimer les oignons et l'ail de l'alimentation de la mère qui allaite, car il semble qu'ils jouent un rôle.

Il est important que l'enfant vide au moins un sein à chaque tétée. Le lait évolue au cours de la tétée : au début, il est plutôt aqueux, mais riche en protéines et en sucres (peut-être pour calmer rapidement la soif), puis il devient plus épais et plus gras afin de rassasier l'enfant longtemps. Si l'enfant passe d'un sein à l'autre en cours de tétée, il ne prend que le lait le plus clair et le plus sucré; cela accroît ses coliques, car il absorbe davantage de lactose, qui fermente dans l'intestin.

Chez l'enfant nourri au biberon, les coliques peuvent révéler une intolérance au lactose ou aux protéines. La présence de sirop de maïs dans le lait maternisé peut également être en cause.

Après la tétée, faites faire son renvoi à votre enfant et couchez-le sur le côté gauche : ainsi, une éventuelle bulle d'air ne pourra pas pénétrer dans son intestin. Essayez de laisser un intervalle d'au moins deux heures entre les tétées et donnez-lui un peu de camomille froide une demi-heure avant. Vous pouvez aussi essayer d'autres tisanes, une à la fois bien sûr : la graine de fenouil, la graine d'aneth, le gingembre, la menthe et la réglisse. Jetez une demi-cuillerée à café de plantes dans une tasse d'eau bouillante, puis laissez refroidir, filtrez et donnez-en à l'enfant entre 1 et 3 cuillerées à la cuillère ou au compte-gouttes. Enfin, un peu de bactéries spéciales enfant dans le biberon peuvent soulager les coliques.

LA CONSTIPATION

Il est très pénible d'assister aux vains efforts et aux souffrances d'un petit enfant qui ne parvient pas à aller à la selle. Si ce malaise persiste, l'enfant finit par associer douleur et défécation et prend l'habitude de se retenir. Dans l'idéal, les jeunes enfants, dont le tube digestif est plus court que celui des adultes, émettent deux ou trois selles par jour. Si votre enfant est constipé, posez-vous ces questions : prend-il assez de liquides pour que les matières soient hydratées ? Son alimentation est-elle assez riche en fibres, en particulier celles qui se trouvent dans les fruits, les légumes, le riz et l'avoine ? (Ne donnez jamais de son de blé à un enfant, car il ne viendrait à bout de la constipation qu'au prix d'une irritation de l'intestin, ce qui n'est guère souhaitable.) Est-il allergique à un aliment comme le froment ou d'autres céréales telles que le seigle, l'avoine ou le maïs ? Souffre-t-il d'une détresse affective ? Essayez d'incorporer à son repas 1 ou 2 cuillerées à café d'huile d'olive ; cela stimule beaucoup les mouvements intestinaux (péristaltisme).

LA DIARRHÉE

Une diarrhée prolongée peut mettre en danger la vie des tout-petits, qui se déshydratent très vite. En cas de doute, consultez votre médecin. Il prescrira sans doute une solution d'électrolytes. Dans la majorité des cas, la diarrhée est le signe que l'organisme cherche à se débarrasser de quelque chose qui l'irrite. L'origine alimentaire est la plus évidente, surtout en présence de vomissements. Souvent, c'est une intolérance alimentaire qui en est à l'origine, et, hélas, les aliments les plus fréquemment absorbés sont à mettre en cause : il peut s'agir de produits laitiers ou du froment (encore eux !), du seigle, de l'avoine, du lait de soja, des agrumes (surtout des oranges), ou d'un aliment dont on abuse. Le riz brun et le yaourt peuvent vaincre la diarrhée.

L'ECZÉMA

Mes conseils sont similaires à ceux que je donne pour l'asthme, puisque ces deux affections ont en commun de nombreux facteurs alimentaires. Certains bébés sont couverts d'eczéma de la tête aux pieds, ce qui est d'autant plus désolant que l'on peut faire beaucoup pour l'éviter.

Là encore, pensez à une éventuelle allergie : le froment, l'avoine, le seigle, le maïs et l'orge, les produits laitiers, les produits à base de soja et les agrumes sont à placer en tête de liste. Il est important de réduire au maximum les graisses saturées d'origine carnée et laitière, car elles peuvent déclencher des crises inflammatoires. Le GLA et l'EPA (voir page 48) pourraient jouer un rôle crucial : certains eczémateux semblent avoir du mal à convertir les acides gras essentiels en composés anti-inflammatoires utilisables par l'organisme. En leur administrant directement du GLA (présent dans l'huile d'onagre) et de l'EPA (présent dans les poissons gras), on saute cette étape de transformation. Le zinc et la vitamine A peuvent aider, ainsi qu'une consommation d'eau suffisante.

Perforez des gélules d'huile d'onagre et de vitamine E et étalez-en délicatement quelques gouttes sur les zones touchées. La peau n'a aucun mal à les absorber. Une ou deux gélules par jour devraient suffire.

L'OTITE SÉREUSE

Il s'agit d'une accumulation de fluide visqueux dans l'oreille moyenne, généralement à la suite d'infections à répétition ou d'une allergie. Cette affection est en pleine recrudescence. Le traitement usuel est la prescription d'antibiotiques, mais, dans les cas graves, il faut poser des drains transtympaniques (yoyos). L'otite séreuse peut être prévenue par la suppression des produits laitiers ; si cela ne donne rien, pensez à d'autres allergènes. Quelques semaines après une otite, faites vérifier l'ouïe de votre enfant.

LE RHUME DES FOINS

Il est rare qu'il se manifeste chez les très jeunes enfants, mais vous remarquerez peut-être que votre petit a une tendance saisonnière à éternuer et à avoir les yeux qui coulent. Le froment est souvent responsable, car c'est une graminée et, à ce titre, un irritant qui peut déclencher les symptômes du rhume des foins. Essayez de le supprimer pendant six semaines. Si cela n'est pas concluant, vous pouvez soupçonner l'avoine et le seigle.

Les symptômes du rhume des foins sont causés par l'histamine, dont la production peut être jugulée par deux nutriments agissant en synergie : le calcium, qui en facilite l'expulsion des cellules, et la vitamine C, qui la détoxifie et l'entraîne hors de l'organisme.

LE MUCUS

De nombreux petits enfants, surtout ceux qui vivent en collectivité, ont le nez qui coule en permanence. Un écoulement transparent est normal, car l'enfant est en train de construire son immunité ; le problème diminue donc au fil du temps. Toutefois, si l'écoulement persiste trop longtemps ou devient très épais, ou encore si les fosses nasales sont encombrées en l'absence de rhume ou d'infection, vous pouvez suspecter une allergie, imputable essentiellement aux produits laitiers, au froment et autres céréales, ou au soja. Veillez à ce que votre bébé prenne suffisamment de liquides, qui l'aideront à se débarrasser d'une accumulation de toxines et réduiront le besoin de les éliminer par une sécrétion de mucus. Une enzyme présente dans l'ananas, la broméline, aide à enrayer la surproduction de mucus à la suite d'une allergie.

L'ÉRYTHÈME FESSIER

Certains semblent croire que l'érythème fessier du nourrisson est inévitable. En réalité, ce phénomène n'est pas normal et peut être prévenu. L'hygiène est importante : changez fréquemment la couche de votre enfant et vérifiez qu'il n'est pas allergique aux lingettes et aux pommades en utilisant provisoirement du coton hydrophile et de l'eau. Laissez-lui les fesses à l'air de temps en temps. Vous noterez peut-être qu'il est atteint de rougeurs lorsque ses selles ne sont pas de consistance normale, signe qu'un aliment quelconque aggrave les symptômes. Veillez à ce que votre enfant ait un apport suffisant en nutriments bons pour la peau : le zinc, les vitamines A et C, les acides gras essentiels. Pour calmer l'irritation, pensez à l'argile verte, qui possède des propriétés anti-inflammatoires.

LES RÉGURGITATIONS

Certains bébés sont des «cracheurs» et les vêtements de leurs parents sont toujours tachés de lait. À mon avis, c'est plus fréquent chez les nourrissons au biberon, puisque le lait industriel n'est pas aussi digeste que le lait maternel. Je vous conseille de changer de marque de lait ou de reprendre l'allaitement. Les vomissements en jets sont une autre affaire, car ils révèlent parfois une affection plus grave, la sténose du pylore. Si cela arrive une ou deux fois, c'est probablement une infection ou une allergie. Mais si les troubles persistent, il faut les prendre au sérieux. Dans l'un et l'autre cas, consultez votre médecin, car la déshydratation menace.

10

MENUS TYPES ET RECETTES

J e m'efforce de passer peu de temps dans la cuisine pour me consacrer à des activités qui m'intéressent davantage, dont une des plus importantes est de m'occuper de ma famille. C'est avec ce souci de gain de temps que Susan Herrmann Loomis a imaginé les recettes qui suivent : simples et rapides, elles donnent des résultats délicieux et variés. Elles sont prévues pour s'intégrer aux repas de toute la famille, et les plats peuvent être congelés en petites portions adaptées à l'appétit des enfants.

COMMENT UTILISER
CE CHAPITRE

Toutes les recettes trouvent leur place dans les menus types ; elles contiennent le moins possible de produits laitiers et de céréales au gluten, mais restent savoureuses et faciles à cuisiner. Nous avons délibérément exclu des menus les produits les plus difficiles à trouver. Manger sainement, c'est un mode de vie, pas une complication. Si vous ne trouvez pas un ingrédient dans votre supermarché, jetez tout de même un coup d'œil aux rayons des boutiques de diététique ou des épiceries exotiques.

Les menus types sont classés par tranche d'âge pour vous aider à introduire les aliments dans le bon ordre, de manière à éviter les allergies, les intolérances alimentaires et les réactions que nous avons abordées plus haut. Nos menus sont destinés à vous montrer qu'il est très simple de donner à votre enfant une grande variété d'aliments et, par voie de conséquence, de nutriments. L'astérisque qui suit le nom de certains plats signifie qu'ils figurent parmi les recettes du chapitre ; pour trouver le numéro de page, consultez l'index des recettes.

Si vous avez fréquemment recours à des aliments de base tels que le pain ou les pâtes, vous trouverez peut-être trop restrictif le programme que je vous propose ; je vous demande de l'étudier avec un œil nouveau. Prenez votre temps, n'opérez que peu de changements à la fois et vous aurez bientôt modifié vos habitudes sans vous en apercevoir. La santé de votre enfant vaut bien ces quelques efforts.

De 4 à 6 MOIS

Les repas doivent être présentés en purée semi-liquide, sans grumeaux ni filaments, et sans sel ajouté. Vous pouvez proposer un peu d'eau ou de tisane de camomille froide entre les repas. Nourrissez votre enfant à la demande si vous aimez cette méthode, mais le moment est peut-être venu d'établir plus de régularité. Si vous ne savez pas comment vous y prendre, préparez chacune des compotes et purées des pages 130 à 133 et congelez-les dans des bacs à glaçons. En suivant les menus types, donnez à votre bébé un cube de purée à la fois, et augmentez peu à peu les quantités en introduisant des aliments choisis dans la liste ci-dessous.

LES ALIMENTS NOUVEAUX

Présentez ces nouveautés les unes après les autres, en surveillant d'éventuelles réactions.

Légumes Cuisez-les pour qu'ils soient très tendres avant de les passer au mixeur. Proposez les légumes suivants, seuls ou en mélange : patate douce, courge d'hiver butternut, panais, carotte, rutabaga, igname, potiron, courgette[1], chou-fleur, brocolis[1], haricots verts[1], haricots mange-tout, oignon[1], cœur d'artichaut, champignons, betterave rouge[1], navet[1], jaque (fruit de l'arbre à pain), banane plantain.

Fruits Pelez tous les fruits. Proposez les fruits suivants, seuls ou en mélange : banane, pomme (cuite ou mixée crue), abricot, pêche, nectarine et brugnon, prune, poire, papaye, mangue, melon, abricot sec, pruneau, avocat bien mûr (après quatre semaines d'alimentation solide).

Céréales Riz brun, millet, quinoa.

Légumineuses Lentilles corail, petits pois, flageolets.

Matières grasses Tous les jours, une cuillerée à café d'huile végétale pressée à froid : lin, carthame ou tournesol, mélangée au repas.

1. Seront peut-être plus appréciés en mélange.

SEMAINES 1 & 2

PETIT DÉJEUNER
Tétée ou biberon

DANS LA MATINÉE
Tétée ou biberon

DÉJEUNER
Tétée ou biberon
Un seul légume
(Ajoutez du riz pour nourrissons la 2ᵉ semaine)

GOÛTER
Tétée ou biberon

DÎNER
Tétée ou biberon

AU COUCHER
Tétée ou biberon

SEMAINES 3 & 4

PETIT DÉJEUNER
Tétée ou biberon
Un seul fruit et purée de riz brun*
ou bouillie de quinoa et de millet*

DANS LA MATINÉE
Tétée ou biberon

DÉJEUNER
Tétée ou biberon
Un seul légume avec une purée de lentilles* ou de flageolets*

GOÛTER
Tétée ou biberon

DÎNER
Tétée ou biberon
Légumes en mélange et un seul fruit

AU COUCHER
Tétée ou biberon

COMPOTE DE POMMES

POUR ENVIRON 60 CL OU
40 CUBES DE COMPOTE

*1 kg de pommes pelées,
épluchées et coupées en dés
15 cl d'eau filtrée*

*Le temps de cuisson des pommes dépend de la variété choisie
et de leur fraîcheur.*

Mettez les pommes et l'eau dans une casserole à fond épais de taille moyenne. Couvrez et laissez cuire à feu moyen jusqu'à ce que les pommes soient tendres et s'écrasent facilement à la cuillère en bois, soit environ 35 minutes. Laissez refroidir. Passez les pommes au mixeur ou à la moulinette.
Congelez la compote dans des bacs à glaçons. Lorsque les cubes sont pris, transférez-les dans une boîte ou des sachets de congélation. Ils se conservent environ 2 mois.

COMPOTE D'ABRICOTS

POUR ENVIRON 15 CL OU
8 CUBES DE COMPOTE

500 g d'abricots frais bien mûrs

*La même recette peut s'appliquer aux nectarines, aux brugnons et
aux pêches, mais celles-ci doivent être pelées.*

Lavez les abricots soigneusement. Mettez-les dans un panier-vapeur et posez celui-ci dans une casserole, au-dessus d'un fond d'eau bouillante. Couvrez et laissez cuire 7 à 9 minutes, jusqu'à ce qu'ils soient bien tendres. Retirez le panier de la casserole et laissez les abricots refroidir pour pouvoir les manipuler.
Ôtez les noyaux, puis passez les fruits au mixeur ou à la moulinette. Congelez la compote dans un bac à glaçons. Lorsque les cubes sont pris, transférez-les dans une boîte ou des sacs de congélation. Ils se conservent environ 2 mois.

COMPOTE D'ABRICOTS SECS

POUR ENVIRON 20 CL OU
12 CUBES DE COMPOTE

250 g d'abricots secs
15 cl d'eau

Les abricots secs contiennent une bonne quantité de fer et de caroténoïdes. Choisissez-les non traités au soufre.

Mettez les abricots et l'eau dans une petite casserole à fond épais sur feu moyen. Couvrez et portez à ébullition. Réduisez le feu pour que le liquide frémisse et laissez cuire 15 à 20 minutes, jusqu'à ce que les abricots aient absorbé toute l'eau et soient bien ramollis. Surveillez la cuisson pour éviter de les laisser attacher. Retirez la casserole du feu et passez les abricots au mixeur ou à la moulinette. Laissez refroidir la compote, puis congelez-la dans des bacs à glaçons. Lorsque les cubes sont pris, transférez-les dans une boîte ou des sacs de congélation. Ils se conservent environ 2 mois.

PURÉE DE CAROTTES

POUR ENVIRON 25 CL OU
16 CUBES DE PURÉE

500 g de carottes épluchées et grossièrement hachées

Pour les enfants plus âgés, enrichissez ce plat avec une cuillerée de yaourt ou de fruits à coque fraîchement moulus.

Mettez les carottes dans le panier-vapeur et posez celui-ci au-dessus d'un fond d'eau bouillante. Couvrez et laissez cuire jusqu'à ce que les carottes soient bien tendres, soit 30 à 35 minutes. Versez les carottes dans un mixeur ou une moulinette et réduisez-les en purée. Laissez refroidir.
Congelez la purée dans des bacs à glaçons. Lorsque les cubes sont pris, transférez-les dans une boîte ou des sacs de congélation. Ils se conservent environ 2 mois.

PURÉE DE NAVETS
Préparez la purée avec la même quantité de légumes cuits à la vapeur 30 à 35 minutes. Moulinez et congelez comme ci-dessus.

PURÉE DE LENTILLES

POUR ENVIRON 50 CL OU
32 CUBES DE PURÉE

200 g de lentilles corail
40 cl d'eau filtrée

Voici un aliment de base délicieux et passe-partout. Toutes les maisons où il y a un bébé devraient en avoir en permanence au congélateur.

Mettez les lentilles et l'eau dans une casserole moyenne à fond épais et portez à ébullition à feu moyen. Couvrez et laissez frémir à feu doux jusqu'à ce que les lentilles soient cuites et se réduisent en bouillie sous la cuillère en bois. Surveillez la cuisson pour éviter que l'eau ne s'évapore et que les lentilles attachent. Comptez environ 15 minutes de cuisson.

Retirez du feu et remuez vigoureusement à la cuillère en bois pour obtenir une purée. Celle-ci ne sera pas complètement lisse, mais elle doit être homogène et appétissante. Laissez refroidir, puis congelez dans des bacs à glaçons. Lorsque les cubes sont pris, transférez-les dans une boîte ou des sacs de congélation. Ils se conservent environ 2 mois.

PURÉE DE FLAGEOLETS

POUR ENVIRON 50 CL OU
32 CUBES DE PURÉE

1 grosse boîte de flageolets cuits,
sans sel, égouttés et bien
rincés (800 g)

Les haricots rouges, les haricots blancs ou les cornilles se préparent de la même façon. Proposez-les à votre bébé après 4 semaines d'alimentation solide.

Versez les flageolets dans un mixeur ou une moulinette et réduisez-les en une purée parfaitement lisse.

Congelez la purée dans des bacs à glaçons. Lorsque les cubes sont pris, transférez-les dans une boîte ou des sacs de congélation. Ils se conservent environ 2 mois.

PURÉE DE POTIRON

POUR ENVIRON 50 CL OU
32 CUBES DE PURÉE

1 à 1,5 kg de potiron
ou de courge butternut,
sans graines ni écorce, coupé
en cubes de 5 cm de côté

Les bébés aiment la douceur naturelle du potiron et de la courge, qui sont riches en antioxydants et en sels minéraux.

Mettez le potiron ou la courge dans le panier-vapeur et posez celui-ci au-dessus d'un fond d'eau bouillante. Couvrez et laissez cuire jusqu'à ce qu'il soit très tendre, soit 15 à 30 minutes selon la variété. Sortez le panier de la casserole et laissez refroidir quelques minutes, puis passez le potiron ou la courge au mixeur ou à la moulinette.

Quand la purée est froide, congelez-la dans des bacs à glaçons. Lorsque les cubes sont pris, transférez-les dans une boîte ou des sacs de congélation. Ils se conservent environ 2 mois.

PURÉE DE PETITS POIS

POUR ENVIRON 25 CL OU
16 CUBES DE PURÉE

250 g de petits pois frais écossés
15 cl d'eau filtrée

Les petits pois apportent énormément de fibres : 9 g par tasse. Ils sont riches en fer. Un brin de menthe haché relève leur saveur.

Placez les petits pois et l'eau dans une petite casserole, couvrez et portez à ébullition à feu moyen. Cuisez les petits pois jusqu'à ce qu'ils soient tendres, soit environ 7 minutes. Égouttez-les sans jeter l'eau de cuisson.

Passez les petits pois au mixeur ou à la moulinette en ajoutant de l'eau de cuisson en quantité suffisante pour obtenir une purée lisse. Laissez refroidir.

Quand la purée est froide, congelez-la dans des bacs à glaçons. Lorsque les cubes sont pris, transférez-les dans une boîte ou des sacs de congélation. Ils se conservent environ 2 mois.

PURÉE DE RIZ BRUN

POUR ENVIRON 50 CL OU
32 CUBES DE PURÉE

180 g de riz brun
75 cl d'eau filtrée

Cette recette est meilleure que les flocons de riz du commerce et se prête à des préparations salées ou sucrées.

Mettez le riz et l'eau dans une casserole moyenne, couvrez et portez à ébullition sur feu moyen. Réduisez le feu pour que le liquide frémisse et cuisez le riz jusqu'à ce qu'il soit tendre. Vérifiez une fois ou deux qu'il ne colle pas.

Retirez la casserole du feu et laissez le riz refroidir légèrement. Versez-le dans un mixeur ou une moulinette et réduisez-le en purée, que vous allongerez si nécessaire d'une ou 2 cuillerées d'eau filtrée.

Quand la purée est froide, congelez-la dans des bacs à glaçons. Lorsque les cubes sont pris, transférez-les dans une boîte hermétique résistant à la congélation. Ils se conservent environ 2 mois.

PURÉE DE PATATES DOUCES

POUR ENVIRON 25 CL OU
16 CUBES DE PURÉE

500 g de patates douces, pelées
et coupées en cubes de 5 cm

Les patates douces sont particulièrement riches en fibres et stabilisent la glycémie.

Mettez les patates douces dans le panier-vapeur et posez celui-ci dans une casserole, au-dessus d'un fond d'eau bouillante. Laissez cuire environ 15 minutes, jusqu'à ce que les légumes soient bien tendres. Retirez le panier de la casserole, versez les patates dans un mixeur ou une moulinette et réduisez-les en purée. Laissez refroidir. Quand la purée est froide, congelez-la dans des bacs à glaçons. Lorsque les cubes sont pris, transférez-les dans une boîte hermétique ou des sacs de congélation. Ils se conservent environ 2 mois.

De 6 à 9 MOIS

Continuez à donner du lait maternel ou maternisé. Les bébés au sein peuvent avoir besoin d'un supplément de fer, dont vous trouverez les sources alimentaires page 56.

Passez progressivement à trois repas par jour, en adaptant les portions à l'appétit de votre enfant. N'ajoutez pas de sel. Pour sucrer, utilisez des fruits, des jus de fruits frais ou de la mélasse noire.

Les aliments doivent être réduits en purée lisse, écrasés ou très finement hachés. Votre bébé fait peut-être déjà ses dents ; il appréciera de pouvoir mordiller des bâtonnets de carotte ou des tranches de pomme (surveillez-le bien pour qu'il ne s'étrangle pas).

Si nos menus types ne suffisent pas à le satisfaire, proposez-lui en plus un dessert de fruits frais écrasés ou en compote.

LES ALIMENTS NOUVEAUX

Présentez ces nouveautés les unes après les autres, en guettant d'éventuelles réactions.

Viandes Poissons gras (saumon, thon, maquereau, sardine), volailles, gibier et autres viandes rouges, en petites quantités.

Légumineuses Cornilles, haricots rouges (en boîte ou très cuits), lentilles blondes, haricots blancs, haricots mungo, germes de légumineuses et de soja, fèves pelées, haricots cocos.

Jus Offrez des jus frais avec les repas (pris seuls, ils peuvent provoquer des caries). Ne donnez pas de jus d'agrumes, mais essayez le jus de pomme, de carotte, de poire, de melon... Supprimez peau et pépins, et diluez à moitié avec de l'eau.

Matières grasses Jaune d'œuf. Augmentez la quantité d'huile végétale pressée à froid (lin, noix, tournesol ou carthame) pour passer à 2 cuillerées par jour. C'est une habitude à garder toute la vie.

Fruits à coque Noix de coco.

Céréales Sarrasin.

MENU 1

PETIT DÉJEUNER
Purée de riz aux fruits*
Tétée ou biberon

DANS LA MATINÉE
Tétée ou biberon

DÉJEUNER
Avocat écrasé ou
purée de légumes
Eau

GOÛTER
Tétée ou biberon

DÎNER
Purée de lentilles*
Purée de fruit frais
Eau

AU COUCHER
Tétée ou biberon

MENU 4

PETIT DÉJEUNER
Bouillie de quinoa
et de millet*
Tétée ou biberon

DANS LA MATINÉE
Purées de petits pois*
et de chou,
un jaune d'œuf dur écrasé
Eau

GOÛTER
Tétée ou biberon

DÎNER
Purées de
patates douces*,
de poireaux
et de navets*
Eau

AU COUCHER
Tétée ou biberon

MENU 2

PETIT DÉJEUNER
Flocons de riz et
purée de fruit
Tétée ou biberon

DANS LA MATINÉE
Tétée ou biberon

DÉJEUNER
Purées de flageolets*
et de carottes*
Eau

GOÛTER
Tétée ou biberon

DÎNER
Banane écrasée au quinoa
Eau

AU COUCHER
Tétée ou biberon

MENU 3

PETIT DÉJEUNER
Purée de lentilles corail* et
compote de pommes*
Tétée ou biberon

DANS LA MATINÉE
Tétée ou biberon

DÉJEUNER
Saumon, purées de lentilles*
et de carottes*
Eau

GOÛTER
Tétée ou biberon

DÎNER
Un légume et une purée de riz brun*
Eau

AU COUCHER
Tétée ou biberon

MENU 5

PETIT DÉJEUNER
Purées de riz brun*
et de champignons
Tétée ou biberon

DANS LA MATINÉE
Tétée ou biberon

DÉJEUNER
Maquereau au four, purée de patates
douces* et compote de pommes*
Eau

GOÛTER
Tétée ou biberon

DÎNER
Purée de légumes et de haricots
blancs
Eau

AU COUCHER
Tétée ou biberon

MENU 6

PETIT DÉJEUNER
Bouillie de millet et
Compote d'abricots secs*
Tétée ou biberon

DANS LA MATINÉE
Tétée ou biberon

DÉJEUNER
Avocat écrasé
ou banane
Eau

GOÛTER
Tétée ou biberon

DÎNER
Purée de haricots secs* en sauce
dorée au chou-fleur*
Eau

AU COUCHER
Tétée ou biberon

DES IDÉES POUR LE PETIT DÉJEUNER

Il existe bien des alternatives aux flocons de riz du commerce quand on commence le sevrage. Il est toutefois pratique d'avoir chez soi plusieurs variétés de riz et de céréales, ainsi que quelques petits pots. Voyez pages 36 et 102 mes conseils pour choisir les bons.

De 4 à 6 MOIS

Commencez par le riz pour nourrissons, dont la consistance lisse est parfaite. Une fois que votre enfant sera habitué à une alimentation solide, passez au riz brun, au millet et au quinoa. Utilisez les cubes de purée de riz que vous avez mis au congélateur (voir page 133) comme base des petits déjeuners de votre bébé. Faites-les décongeler, diluez-les avec du lait maternel ou maternisé, et ajoutez-y un peu de compote ou de purée de fruits : pomme, papaye, banane, ou n'importe quel fruit de la page 129. Le quinoa et le millet en flocons sont également très bons (voir recette ci-contre). Leur légère amertume est facile à masquer avec un peu de banane ou de purée de fruit. Les bouillies cuites peuvent être congelées dans des bacs à glaçons. Ajoutez un peu d'eau au moment de la décongélation.

De 6 à 9 MOIS

Les mêmes principes sont toujours valables, mais, selon le goût de votre enfant, vous pouvez offrir une consistance un peu plus épaisse. Essayez la noix de coco séchée en poudre non sucrée et le lait de coco non sucré dilué à moitié avec du lait maternel ou maternisé. Proposez de temps en temps des plats salés au petit déjeuner, comme une purée de riz brun avec un jaune d'œuf dur et des champignons sautés moulinés. Pour changer du pain, offrez des blinis au sarrasin. Préparés en quantité, ils se congèlent bien et il suffit de les passer au grille-pain pour les décongeler.

De 9 à 12 MOIS

Gardez vos habitudes précédentes, mais laissez de plus en plus de morceaux si votre enfant les apprécie. Vous pouvez maintenant introduire le yaourt nature et le fromage blanc de campagne en plus du lait. Pour les fruits, c'est le moment de présenter des baies. En ce qui concerne les céréales, introduisez l'avoine, l'orge et le seigle. Ne tardez pas trop à introduire les pains et les biscuits 100 % seigle, car les enfants plus grands s'habituent moins bien que les bébés aux goûts puissants. Préparez des plats salés à base de riz, avec par exemple un peu de foie biologique cuit haché, ou des morceaux de saumon fumé finement hachés.

De 12 à 15 MOIS

Le petit déjeuner est maintenant pratiquement identique à celui des adultes, selon les capacités de votre enfant à mastiquer. À cet âge, proposez de temps à autre des saucisses végétariennes et des tomates sautées. Une omelette bien cuite et garnie avec imagination est excellente, et, si vous la coupez en morceaux, votre enfant pourra la manger tout seul.

De 15 à 24 MOIS

Si vous n'avez toujours pas introduit les fruits à coque et les graines moulues dans l'alimentation de votre enfant, c'est le moment de commencer. Parsemez-en les céréales du matin à raison d'une à 2 cuillerées à café par jour.

Le fromage peut maintenant figurer au menu, mais je vous recommande de préférer le fromage de chèvre ou de brebis au fromage de vache. Enfin, vous pouvez proposer du pain de mie complet grillé, tartiné de pâte de fruits à coque ou de confiture 100 % fruits. Efforcez-vous de varier la composition des pains que vous offrez.

BOUILLIE DE QUINOA ET DE MILLET

POUR 2 OU 3 PORTIONS

30 g de quinoa en flocons
15 cl de lait (ou de substitut)
2 cuil. à café de millet en flocons
Jus de pomme non sucré
  (facultatif)
2 cubes de compote d'abricots
  secs (voir page 131) ou 1/2
  banane mûre écrasée

S'il reste de la bouillie, congelez-la dans une boîte hermétique. Au moment de la décongeler, il sera peut-être nécessaire de l'allonger avec un peu de lait, de jus de pomme ou d'eau filtrée bouillie. Cette recette convient aux enfants de 4 à 6 mois. Pour un enfant plus grand, on peut ajouter des ingrédients tels que l'avoine, les amandes, les graines de tournesol ou la noix de coco séchée en poudre.

Mélangez le quinoa et le lait dans une petite casserole et portez à ébullition à feu doux. Ajoutez du lait si nécessaire, puis le millet. Retirez la casserole du feu et versez le mélange dans un mixeur. Mixez jusqu'à obtention d'une bouillie lisse, en ajoutant du lait ou du jus de pomme selon les besoins. Versez un tiers de la préparation dans un bol, incorporez la compote d'abricots secs ou la banane, et servez après avoir vérifié la température.

MÜESLI DE RIZ ET D'ORGE

POUR 2 OU 3 PORTIONS

30 g d'orge en flocons
30 g de riz en flocons
12 cl de lait (ou de substitut)
2 cuil. à soupe de raisins secs
  hachés
2 ou 3 abricots secs hachés
2 cuil. à soupe de noix de coco
  séchée non sucrée (facultatif)

L'orge et le riz en flocons étant d'une consistance plutôt ferme, il faut mixer ce müesli, même pour un enfant plus âgé. Ce plat convient à partir de 9 mois.

Dans une petite casserole, mélangez les flocons d'orge et de riz avec le lait et portez à ébullition à feu doux. Ajoutez un peu de lait si le mélange est trop épais. Incorporez les raisins, les abricots et éventuellement la noix de coco, puis versez le mélange dans un mixeur. Mixez pour obtenir une bouillie lisse en délayant avec un peu de lait si nécessaire. Vérifiez la température avant de servir.

PURÉE DE RIZ AUX FRUITS

POUR 1 PORTION

2 à 4 cuil. à soupe de purée de
  riz brun (voir page 133)
1/2 banane écrasée
4 cuil. à soupe de compote de
  pommes ou 1/2 pomme râpée
1 datte dénoyautée hachée
  (facultatif)
1 pincée de cannelle en poudre
  (facultatif)
Lait tiède (ou substitut)

Si vous avez mis des cubes de purée de riz au congélateur, ce plat sera prêt en un clin d'œil. Pour les enfants de plus de 6 mois, employez plutôt du riz brun cuit entier et servez avec du lait de coco.

Dans un bol, mélangez tous les ingrédients, sauf le lait. Incorporez peu à peu le lait jusqu'à obtention de la consistance voulue. Ajoutez éventuellement la cannelle et la datte, et servez.

De 9 à 12 MOIS

Continuez à utiliser du lait maternel ou maternisé. Le lait tient toujours une grande place dans l'alimentation de votre enfant : il lui en faut environ 50 cl par jour. Mais les aliments solides forment désormais l'essentiel des repas ; si votre enfant n'a pas grand appétit, assurez-vous qu'il ne consomme pas plus d'un demi-litre de lait par jour, car cela pourrait le rassasier à l'excès. Dès 9 mois environ, vous pouvez présenter des morceaux fondants plus gros, mais évitez de servir entiers des aliments qui présentent un risque d'étouffement, comme les fruits à coque et les fruits à noyau. C'est vers 10 ou 11 mois que les véritables morceaux à mâcher seront introduits. Les enfants un peu plus âgés peuvent manger des raisins secs ou des galettes d'avoine, mais vers 9 mois, mieux vaut s'en tenir aux fruits pour vaincre une petite fringale. Au dessert, servez des fruits frais avec ou sans yaourt. À cet âge, les enfants ne réclament pas encore autre chose, alors profitez-en puisque c'est bon pour eux.

LES ALIMENTS NOUVEAUX

Présentez ces nouveautés les unes après les autres, en surveillant d'éventuelles réactions.
Produits laitiers Yaourt nature biologique de culture vivante, à adoucir avec des fruits frais ou un soupçon de mélasse.
Céréales Maïs, avoine, seigle, orge.
Légumes Topinambours, pousses de bambou, choux de Chine (pé-tsaï et pak-choï), criste-marine, maïs doux, rhubarbe, concombre avec les pépins.
Viande Foie biologique.
Fruits Fruits à petits pépins tels que framboises, fraises, myrtilles, figues, kiwis, raisins, ainsi que dattes, litchis et ramboutan.
Matières grasses Beurre (avec modération).

MENU 1

PETIT DÉJEUNER
Porridge à la banane
Tétée ou biberon

DANS LA MATINÉE
Fruit ou raisins secs
Tétée ou biberon

DÉJEUNER
Bâtonnets de crudités,
sauce au thon*
Fruit
Eau

GOÛTER
Fruit ou galettes de seigle
Tétée ou biberon

DÎNER
Orge aux épices*
Fruit
Eau

AU COUCHER
Tétée ou biberon

MENU 4

PETIT DÉJEUNER
Purée de riz aux fruits*
Tétée ou biberon

DANS LA MATINÉE
Fruit ou biscuits au seigle
Tétée ou biberon

DÉJEUNER
Bâtonnets de crudités, sauce à l'avocat*
Galettes d'avoine
Eau

GOÛTER
Fruit
Tétée ou biberon

DÎNER
Bouchées de saumon à l'asiatique*
Crème de banane*
Eau

AU COUCHER
Tétée ou biberon

Menu 2

Petit déjeuner
Pétales de maïs sans sucre au yaourt
Tétée ou biberon

Dans la matinée
Fruit ou galettes d'avoine
Tétée ou biberon

Déjeuner
Haricots verts à la provençale
et purée de panais
Fruit
Eau

Goûter
Fruit
Tétée ou biberon

Dîner
Riz brun, sauce aux
champignons et à l'oignon*
Fruit Eau

Au coucher
Tétée ou biberon

Menu 3

Petit déjeuner
Müesli de riz et d'orge*
Tétée ou biberon

Dans la matinée
Fruit ou biscuits
Tétée ou biberon

Déjeuner
Gratin de courgettes au citron*
Fruit
Eau

Goûter
Fruit
Tétée ou biberon

Dîner
Épinards aux
pois chiches*, quinoa
Fruit
Eau

Au coucher
Tétée ou biberon

Menu 5

Petit déjeuner
Œufs brouillés et toast de seigle
Tétée ou biberon

Dans la matinée
Raisins secs ou galettes de riz
Tétée ou biberon

Déjeuner
Bâtonnets de céleri-rave
aux noix*
Purée de patates douces
Eau

Goûter
Fruit
Tétée ou biberon

Dîner
Chili doux au quinoa*
Fruit
Eau

Au coucher
Tétée ou biberon

Menu 6

Petit déjeuner
Bouillie de quinoa et de millet*
Tétée ou biberon

Dans la matinée
Fruit ou galettes d'avoine
Tétée ou biberon

Déjeuner
Riz brun, sauce aux courgettes*
Fruit
Eau

Goûter
Fruit
Tétée ou biberon

Dîner
Curry de poisson au lait
de coco* et lentilles
Fruit
Eau

Au coucher
Tétée ou biberon

LÉGUMES SAUTÉS ARC-EN-CIEL

4 À 6 PORTIONS

1 cuil. à café d'huile de sésame
1 cuil. à soupe d'huile d'olive
2 gousses d'ail finement hachées
1 oignon moyen finement haché
Eau filtrée ou bouillon aux
* herbes (voir page 176)*
250 g de champignons préparés
* et coupés en dés*
2 carottes moyennes finement
* râpées*
180 g de brocolis, la tige pelée et
* coupée en dés, le reste détaillé*
* en petits bouquets*
250 g de pousses de soja
Pour la sauce
2 cuil. à café de tamarin
2 cuil. à café d'eau
1 cuil. à café de saké (facultatif)

Servez ce plat avec du riz brun ou des nouilles japonaises au sarrasin.

Dans un wok, faites chauffer les huiles et ajoutez l'ail, l'oignon et 2 cuil. à soupe d'eau ou de bouillon. Remuez pendant 1 minute. Ajoutez les champignons, remuez bien, et laissez-les cuire jusqu'à ce qu'ils soient tendres (1 ou 2 minutes). Ajoutez les carottes, puis les brocolis et 2 cuillerées à soupe d'eau ou de bouillon.

Laissez cuire à feu vif 4 à 5 minutes en remuant sans arrêt.

Ajoutez enfin les pousses de soja, un peu de liquide si les légumes attachent et laissez cuire encore une minute en remuant. Versez les légumes dans un plat chaud et remettez le wok sur le feu.

Fouettez ensemble les ingrédients de la sauce et versez le mélange dans le wok. Faites cuire jusqu'à évaporation de l'alcool, mais pas plus d'une minute.

Nappez les légumes de sauce ou présentez celle-ci à part. Selon l'âge de votre bébé, moulinez avant de servir.

CHOUX DE BRUXELLES AU CITRON

POUR 4 PETITES PORTIONS

250 g de choux de Bruxelles
* épluchés et coupés en*
* tranches fines*
2 cuil. à café d'huile d'olive
1/2 zeste de citron râpé
1 cuil. à café de jus de citron
* frais*

Voici un plat merveilleux, simple et délicieux.
L'assaisonnement à l'huile d'olive et au citron se marie tout aussi bien avec d'autres légumes. Essayez-le sur des haricots verts, des courgettes ou des brocolis.

Faites cuire les choux de Bruxelles à la vapeur jusqu'à ce qu'ils soient tendres mais encore fermes, soit environ 5 minutes.

Dans un saladier, battez l'huile, le zeste et le jus de citron. Ajoutez les choux chauds, remuez pour les enrober de sauce. Moulinez avant de servir si nécessaire.

RISOTTO AUX CHAMPIGNONS ET AUX POIREAUX

POUR 4 À 6 PORTIONS

1,25 l de bouillon aux herbes
(voir page 176)
2 cuil. à soupe d'huile d'olive
vierge extra
1 poireau bien lavé coupé en dés
360 g de champignons préparés
et coupés en dés
200 g de riz rond complet
2 cuil. à soupe de beurre doux
(facultatif)
Sel de mer

Pour le goût comme pour la valeur nutritionnelle, les champignons asiatiques shitakés sont les meilleurs, mais cette recette est délicieuse même avec des champignons de Paris.

Portez le bouillon à ébullition, couvrez-le et maintenez-le au chaud.

Dans une casserole ou dans une sauteuse, faites chauffer l'huile à feu moyen et ajoutez le poireau. Remuez jusqu'à ce qu'il commence à fondre, soit environ 2 minutes. Ajoutez les champignons, remuez et laissez cuire jusqu'à ce qu'ils prennent une teinte foncée et deviennent tendres (3 à 4 minutes). Ajoutez le riz et remuez sans cesse pendant 2 à 4 minutes, jusqu'à ce qu'il devienne transparent. Couvrez de bouillon et mélangez sans arrêt jusqu'à ce que le riz ait absorbé presque tout le liquide (environ 15 minutes).

Ajoutez le reste du bouillon et portez le mélange à ébullition. Réduisez le feu et laissez mijoter à couvert 25 minutes, jusqu'à ce que le riz soit presque cuit.

Retirez le couvercle et mélangez 5 à 10 minutes, jusqu'à évaporation presque totale du liquide. Ajoutez éventuellement le beurre, salez, puis retirez la sauteuse du feu. Laissez refroidir quelques instants à découvert avant de servir. Les restes se congèlent dans des bacs à glaçons. Au moment de les décongeler, ajoutez un peu d'eau si nécessaire.

BÂTONNETS DE CÉLERI-RAVE AUX NOIX

POUR 4 PORTIONS

2 cuil. à soupe d'huile d'olive
1 petite poignée de persil plat
frais
1 petite botte de ciboulette
fraîche
1 céleri-rave d'environ 800 g

L'huile de noix est riche en acides gras oméga 3 et oméga 6.

Versez l'huile dans un saladier. Ajoutez les herbes hachées. Faites bouillir une grande casserole d'eau.

Épluchez le céleri rave et détaillez-le en bâtonnets de 7,5 cm de long sur 5 mm d'épaisseur. Plongez les bâtonnets dans l'eau bouillante et laissez-les cuire jusqu'à ce qu'ils soient tendres, mais non ramollis, soit environ 8 minutes. Égouttez et rafraîchissez le céleri sous le robinet.

Versez le céleri dans le saladier et remuez pour l'enrober de sauce. Servez chaud ou froid.

ROUES DE CHARIOT

Si vous et votre bébé n'avez jamais mangé de gombos (ou ketmies), ce plat vous convertira à coup sûr.

POUR 4 À 6 PORTIONS

2 cuil. à soupe de beurre clarifié
    (voir page 176) ou d'huile
    d'olive vierge extra
1/4 de cuil. à café de graines de
    fenouil écrasées
1 petit oignon finement haché
1 gousse d'ail finement hachée
500 g de gombos
1 cuil. à café de curcuma
4 cuil. à soupe d'eau filtrée
1 cuil. à soupe de noix
    de coco séchée non sucrée,
    selon le goût

Dans une grande poêle à fond épais, faites chauffer le beurre clarifié à feu moyen et ajoutez les graines de fenouil. Laissez les graines prendre couleur jusqu'à ce qu'elles commencent à crépiter, soit environ 3 minutes. Ajoutez ail et oignon, mélangez, puis couvrez et laissez cuire entre 5 et 7 minutes. Surveillez bien la cuisson : l'oignon doit devenir transparent mais ne pas brûler. Pendant ce temps, coupez l'extrémité des gombos et détaillez-les en rondelles très fines.

Mettez-les dans la poêle et mélangez, puis ajoutez le curcuma et l'eau. Laissez cuire, en remuant souvent, jusqu'à ce que les gombos soient bien tendres et dorés (environ 20 minutes). Ils commenceront par être très gluants et élastiques, mais finiront par devenir moelleux.

Retirez la poêle du feu, saupoudrez de noix de coco, remettez le couvercle et laissez reposer 10 minutes avant de servir. Moulinez si nécessaire.

ORGE AUX ÉPICES

On pense rarement à l'orge, qui est pourtant facile à préparer et dont les enfants aiment la consistance. Grâce aux épices exotiques de notre recette, cette humble céréale sort enfin de l'anonymat.

POUR 4 À 6 PORTIONS

2 cuil. à soupe d'huile d'olive
1 oignon moyen finement haché
2 gousses d'ail finement hachées
1 carotte moyenne finement
    hachée
250 g de champignons finement
    hachés
100 g d'orge mondé
1/4 de cuil. à café de gingembre
    en poudre
1/2 cuil. à café de cannelle en
    poudre
1/2 cuil. à café de curcuma
1/4 cuil. à café de noix muscade
    en poudre
1 pincée de girofle en poudre
1/4 de cuil. à café de graines
    de coriandre moulues
70 cl de bouillon aux herbes
    (voir page 176)

Dans une grande poêle à fond épais, faites revenir à l'huile l'oignon et l'ail 5 minutes à feu moyen, jusqu'à ce que l'oignon soit transparent. Ajoutez la carotte, les champignons et l'orge, et laissez colorer en mélangeant de temps en temps ; les champignons doivent devenir un peu plus foncés et l'orge griller légèrement (environ 5 minutes). Incorporez les épices, puis mouillez avec le bouillon. Portez à ébullition et réduisez le feu pour que le liquide frémisse. Couvrez et faites cuire environ 50 minutes, pour que l'orge soit tendre mais non en bouillie. Retirez du feu et servez. Moulinez si nécessaire.

VARIANTE

Vous pouvez remplacer l'orge par du gruau de sarrasin. Pour cela, cuisez les légumes dans le bouillon environ 30 minutes. Dans une casserole séparée, faites bouillir 50 cl d'eau. Jetez-y 180 g de gruau de sarrasin et laissez cuire 5 minutes à partir de la reprise de l'ébullition. Le sarrasin doit être à peine cuit. Égouttez-le et laissez-le reposer à couvert environ 10 minutes, le temps qu'il devienne tendre et que les grains se détachent. Mélangez-le aux légumes au moment de servir.

CHILI DOUX AU QUINOA

POUR 4 À 6 PORTIONS

2 cuil. à soupe d'huile d'olive
1 oignon moyen finement haché
2 gousses d'ail finement hachées
1 poivron vert épluché et
    finement haché
1 à 2 l d'eau filtrée
1 grosse boîte de tomates entières
    au jus (800 g)
1 cuil. à soupe de paprika doux
1 cuil. à soupe de cumin moulu
1/4 de cuil. à café de curcuma
1/2 cuil. à café d'origan séché
1 boîte de 400 g de haricots
    rouges au naturel, égouttés et
    rincés
2 cuil. à soupe d'huile d'olive
100 g de quinoa rincé
sel et poivre

Accompagnements facultatifs :
1 petite botte de ciboulette
    fraîche finement ciselée
1 orange épépinée et pelée à vif,
    détaillée en quartiers
Yaourt nature

Le premier plat végétarien à faire son apparition à la table familiale sera peut-être ce réconfortant chili.

Dans une grande casserole en Inox, faites chauffer l'huile à feu moyen. Quand elle est chaude, mais non fumante, jetez-y l'oignon, l'ail et le poivron vert. Baissez le feu et faites revenir environ 10 minutes, jusqu'à ce que l'oignon soit transparent. Ajoutez la moitié de l'eau, les tomates, les épices et l'origan. Mélangez bien et portez à ébullition. Laissez cuire environ 30 minutes en vérifiant de temps à autre qu'il reste assez de liquide. Ajoutez éventuellement un peu d'eau pour que le mélange ait la consistance d'une soupe. Ajoutez le reste de l'eau et les haricots, portez à ébullition et incorporez le quinoa cuit (voir ci-dessous). Quand le mélange bout, réduisez le feu et laissez mijoter à demi-couvert jusqu'à ce que le quinoa soit tendre et que le germe, en forme de spirale, se détache des grains (environ 15 minutes). Salez, poivrez et servez éventuellement avec les accompagnements proposés. Ce plat est délicieux le jour même, mais son goût est plus développé après 12 heures de repos. Moulinez si nécessaire.

CUISSON DU QUINOA

Mettez le quinoa dans une petite casserole contenant 50 cl d'eau et portez à ébullition sur feu moyen à fort. Baissez le feu et laissez cuire à petits bouillons en couvrant à moitié pendant environ 12 minutes. Les grains vont doubler de volume, devenir transparents et se fendre, laissant apparaître le germe en forme de spirale. Retirez du feu et laissez reposer à couvert pendant 1 minute environ. Le quinoa est prêt à être incorporé dans une soupe ou un ragoût.

GRATIN DE COURGETTES AU CITRON

POUR 4 À 6 PORTIONS

500 g de courgettes finement rApées
1 petit oignon finement rApé
1/2 zeste de citron rApé
1 cuil. à café de jus de citron frais

POUR LE GRATIN

45 g de flocons d'avoine
4 cuil. à café d'huile d'olive vierge extra

Ce gratin deviendra rapidement l'un des plats préférés de votre petite famille. Sa garniture croustillante peut accommoder bien d'autres préparations salées ou sucrées.

Préchauffez le four à 180 °C. Dans une terrine, mélangez les courgettes, l'oignon et le zeste de citron. Incorporez le jus de citron, puis étalez le mélange dans un plat à four de 28 cm × 18 cm. Versez l'avoine dans un petit bol, ajoutez l'huile et mélangez pour que les flocons soient bien enrobés. Recouvrez les courgettes de ce mélange. Faites cuire au four à mi-hauteur environ 25 minutes pour que les courgettes soient tendres et le dessus croustillant.

FILETS DE CANARD AUX CINQ PARFUMS

POUR 4 PORTIONS

2 filets de canard
1 petite gousse d'ail
3/4 de cuil. à café de cinq-épices en poudre

Facile à préparer, ce plat peut être passé au mixeur (en ajoutant un peu d'eau filtrée si nécessaire) pour les bébés âgés d'au moins 6 mois. Retirez d'abord la peau.

Entre 12 heures et 1 heure avant la cuisson, tailladez les filets de canard côté peau en diagonale sur environ 5 mm de profondeur. Enfoncez dans les fentes de petits morceaux d'ail, puis ajoutez le cinq-épices, en frottant bien pour le faire pénétrer. Laissez reposer à température ambiante pour que la viande absorbe les parfums.
Faites chauffer un gril en fonte ou une poêle sur feu moyen. Grillez les filets côté peau jusqu'à ce qu'ils soient bien dorés (environ 10 minutes). Retournez la viande et finissez la cuisson (10 minutes : bien cuite, 6 minutes : un peu rosée). Retirez la poêle du feu et laissez reposer la viande entre 10 et 20 minutes, afin qu'elle rende du jus. Pour servir, tranchez très finement les filets en diagonale ou coupez-les en petites bouchées.

Épinards aux pois chiches

POUR 4 PORTIONS

Vous pouvez remplacer les pois chiches par des lentilles.

1 cuil. à soupe de beurre clarifié
(voir page 176) ou d'huile
d'olive
1 petit oignon finement haché
1 cuil. à soupe de pâte de curry
doux ou 1 cuil. à café de
curry doux en poudre
180 g de pois chiches cuits
180 g d'épinards surgelés cuits
(ou 750 g d'épinards frais)
13 cl de lait de coco non sucré

Faites fondre le beurre clarifié dans une casserole à feu moyen. Ajoutez l'oignon, mélangez, puis ajoutez le curry, les pois chiches, les épinards et le lait de coco. Portez à ébullition, réduisez le feu et laissez mijoter environ 10 minutes. Le liquide doit réduire d'environ un tiers. Retirez la casserole du feu, rectifiez l'assaisonnement et servez. Moulinez si nécessaire.

Bouchées de saumon à l'asiatique

POUR 4 PORTIONS

Pour les tout-petits, servez ce plat bien mouliné.

1 cuil. à café d'huile de sésame
1 cuil. à café d'huile d'olive
vierge extra
1 gousse d'ail finement hachée
500 g de filet de saumon, sans
peau ni arêtes, détaillé en
cubes de 2,5 cm de côté
1 cuil. à soupe de tamarin
2 cuil. à soupe de saké
4 cuil. à soupe d'eau filtrée

Faites chauffer les huiles dans une poêle puis faites revenir l'ail à feu moyen jusqu'à ce qu'il devienne transparent (environ 2 minutes).
Ajoutez le saumon, puis les autres ingrédients.
Cuisez 4 à 6 minutes en mélangeant sans cesse, jusqu'à ce que le saumon soit cuit et que le liquide ait réduit de moitié. Vous obtiendrez un poisson très moelleux entouré d'un peu de sauce.

Maquereau à la provençale

POUR 4 PORTIONS

Abordable et bon pour la santé, ce plat vous séduira aussi par ses saveurs méditerranéennes et sa facilité d'exécution.

4 filets de maquereau levés sur
des poissons d'environ 500 g,
sans arêtes
2 cuil. à café d'huile d'olive
vierge extra
1 cuil. à café d'origan

Préchauffez le four à la température la plus élevée (environ 230 °C). Huilez les filets de maquereau, disposez-les dans un plat à four et parsemez-les d'origan. Cuisez 5 à 8 minutes. Moulinez si nécessaire.

VELOUTÉ PÊCHE-BANANE

Cette délicieuse boisson doit sa couleur originale à une algue bleue de la famille des cyanophycées, extrêmement riche en oligoéléments.

POUR ENVIRON 80 CL DE VELOUTÉ

50 cl de yaourt nature
2 bananes pelées et coupées en rondelles
1/2 cuil. à café d'extrait de vanille
1/2 cuil. à café de cannelle en poudre
1 pêche moyenne pelée et dénoyautée
1 cuil. à café de poudre de cyanophycées (facultatif)

Mettez tous les ingrédients dans un mixeur jusqu'à obtention d'une consistance lisse. Vous pouvez servir le velouté tel quel ou l'allonger d'eau, ou encore le congeler dans des bacs à glaçons ou des moules à esquimaux pour que les petits s'en régalent par temps chaud.

NECTAR D'AUTOMNE

Pour varier les saveurs, essayez différentes variétés de pommes.

POUR ENVIRON 50 CL DE NECTAR

3 pommes épépinées et coupées en morceaux
2 grosses poires épépinées et coupées en morceaux

Passez les fruits à la centrifugeuse. Diluez avant de servir. Le nectar se conserve entre 6 et 8 heures au réfrigérateur.

COCKTAIL LEVER DE SOLEIL

À ne pas réserver qu'aux enfants !

POUR ENVIRON 50 CL DE BOISSON

125 g de framboises fraîches ou surgelées
1 mangue pelée et coupée en cubes de 5 cm de côté
2 pommes acides de taille moyenne, épépinées et coupées en morceaux

Passez tous les fruits à la centrifugeuse. Alternez la mangue et la pomme pour ne pas boucher l'appareil.
Diluez et servez. Ce cocktail se conserve 6 à 8 heures au réfrigérateur.

COCKTAIL FLAMBOYANT

POUR 4 VERRES

2 carottes parées et coupées en
    tronçons
2 pommes épépinées et coupées
    en huit
125 g de baies mélangées
90 g de raisin

Voici une succulente manière de manger des carottes.

Passez tous les ingrédients à la centrifugeuse. Diluez avant de servir. Cette boisson se conserve 6 à 8 heures au réfrigérateur.

NECTAR À LA BANANE

POUR 4 VERRES

25 cl de nectar d'automne (voir
    ci-contre)
1 banane pelée
1 trait de jus de citron frais
Noix muscade fraîchement râpée
    (selon le goût)

Cette boisson reconstituante est très riche en nutriments.

Mettez le nectar, la banane et le jus de citron dans un mixeur et ajoutez la noix muscade si vous le désirez. Réduisez en purée et diluez pour servir. Cette boisson ne se conserve pas.

⚜ LES JUS FRAIS ⚜

Les fruits suivants font des jus délicieux. Suivez les instructions du fabricant si vous utilisez une centrifugeuse. Mieux vaut passer au mixeur certains fruits mous comme les bananes et les myrtilles. Diluez toujours les boissons des jeunes enfants avec de l'eau.

FRUITS

		LÉGUMES
Abricots	Melons	Betterave rouge
Agrumes	Nectarines	Carottes
Ananas	Papayes	Céleri
Baies	Pêches	Concombre
Bananes	Poires	Tomates
Cerises	Pommes	
Kiwis	Prunes	
Mangues	Raisin	

MENUS TYPES ET RECETTES

De 12 à 15 MOIS

Continuez à donner du lait maternel ou maternisé si vous le désirez, ou bien passez progressivement au lait ordinaire. Si vous avez décidé d'éviter le lait de vache, prenez du lait de chèvre ou de soja, ou un autre substitut (voir page 99). Veillez à ce que votre enfant consomme suffisamment de calcium et de magnésium issus d'une grande variété d'aliments, y compris les légumes à feuilles vertes (voir page 69). Les repas peuvent désormais être présentés sous forme de petits morceaux ou de bouchées à manger avec les mains.

LES ALIMENTS NOUVEAUX

Présentez ces nouveautés les unes après les autres, en surveillant d'éventuelles réactions.

Aliments protéiques Œufs entiers, produits au soja, fruits de mer.

Légumes Toutes les solanacées (pommes de terre, tomates, aubergines, poivrons), olives dénoyautées, salade verte.

Fruits Agrumes en petites quantités, sauf les oranges et les pamplemousses, fruits de la passion, grenades.

MENU 1

PETIT DÉJEUNER
Pétales de maïs sans sucre
Fruit

DANS LA MATINÉE
Raisins secs

DÉJEUNER
Tortilla aux champignons*
Bâtonnets de crudités

GOÛTER
Fruit ou galettes au seigle

DÎNER
Ragoût de haricots à l'ail*
Fruit

MENU 4

PETIT DÉJEUNER
Œufs brouillés aux herbes
Fruit

DANS LA MATINÉE
Raisins secs
ou galettes de riz

DÉJEUNER
Boulettes aux pois chiches*
Petits pois

GOÛTER
Fruit

DÎNER
Pomme de terre au four garnie*
Fruit

MENU 2

PETIT DÉJEUNER
Porridge aux fruits

DANS LA MATINÉE
Galettes de riz

DÉJEUNER
Bouchées de tofu*
Légumes verts à la vapeur

GOÛTER
Fruit

DÎNER
Curry de poisson
au lait de coco* et lentilles
Croquant à l'ananas*

MENU 3

PETIT DÉJEUNER
Müesli de riz et d'orge*
Fruit

DANS LA MATINÉE
Fruit

DÉJEUNER
Pâté de foie sur toast de seigle
Salade de chou*

GOÛTER
Fruit

DÎNER
Boulettes d'agneau à l'indienne*
Maïs doux
Fruit

MENU 5

PETIT DÉJEUNER
Bouillie de quinoa et de millet*

DANS LA MATINÉE
Fruit

DÉJEUNER
Bâtonnets de
crudités et languettes de
pita, sauces froides
Yaourt

GOÛTER
Fruit

DÎNER
Pâtes de maïs à la sauce tomate*
Salade de fruits

MENU 6

PETIT DÉJEUNER
Haricots à la tomate et riz brun

DANS LA MATINÉE
Galettes d'avoine

DÉJEUNER
Croquettes de pomme
de terre au chou*
Fruit

GOÛTER
Fruit

DÎNER
Cabillaud au four,
sauce brocolis aux anchois*
Haricots secs

Polenta aux légumes rôtis

La polenta (semoule de maïs) est un vrai délice facile à préparer. Les restes peuvent être servis avec une sauce pour les pâtes (voir index des recettes).

Pour 4 à 6 portions

Pour la polenta
3 cuil. à soupe d'huile d'olive
   vierge extra
250 g de polenta moyenne
1 l d'eau filtrée

Pour les légumes
2 gros poivrons rouges ou verts
   d'environ 200 g chacun,
   parés et coupés en carrés de
   5 cm de côté
2 grosses carottes d'environ
   125 g chacune, parées et
   coupées en tronçons de 5 cm
3 petits oignons d'environ 125 g
   chacun, parés et coupés en
   quartiers
250 g de brocolis, la tige pelée,
   le reste coupé en petits
   bouquets
2 petites aubergines d'environ
   200 g chacune, parées et
   coupées en dés de 5 cm
10 gousses d'ail (facultatif)
3 cuil. à soupe d'huile d'olive
   vierge extra

Préchauffez le four à 240 °C. Dans une grande casserole à fond épais, faites chauffer 1 cuillerée à soupe d'huile avec la polenta à feu moyen. Laissez cuire environ 8 minutes en remuant sans cesse, jusqu'à ce que la polenta commence à griller légèrement. Ajoutez l'eau, mélangez et portez à ébullition. Couvrez et laissez cuire en remuant de temps en temps jusqu'à ce que la polenta épaississe et soit tendre sous la dent, soit environ 20 minutes. Surveillez la cuisson et ajoutez un peu d'eau si la polenta menace d'attacher. Retirez la casserole du feu et étalez la polenta sur une tôle revêtue de papier sulfurisé. Formez un rectangle d'épaisseur régulière mesurant 23 cm × 30 cm. Laissez refroidir.

Dans une grande terrine, mélangez tous les légumes avec 1 cuillerée à soupe d'huile et disposez-les dans un plat à four assez grand pour qu'ils y tiennent sur une seule épaisseur. Enfournez pour environ 40 minutes ; les légumes doivent être tendres mais pas trop colorés. Si au bout de 30 minutes, les brocolis sont déjà cuits, retirez-les.

Préchauffez le gril. Huilez légèrement la polenta des deux côtés avec le reste de l'huile et découpez-la en rectangles ou en losanges. Dorez-les sous le gril environ 4 minutes sur chaque face.

Pour servir, disposez la polenta sur un plat et versez les légumes par-dessus. Vous pouvez aussi présenter les légumes à part, dans leur plat de cuisson.

Bouchées de tofu

Ajoutez ces bouchées à un plat de riz brun ou à une soupe, ou bien servez-les seules.

Pour 5 portions
(en entrée)

4 cuil. à soupe de tamarin
1 cuil. à café d'eau
1 cuil. à café de saké
1 petite gousse d'ail finement
   hachée
1 petite rondelle de gingembre
   frais finement hachée
125 g de tofu détaillé en cubes
   de 1,25 cm de côté
2 cuil. à café d'huile végétale
1/2 cuil. à café d'huile de
   sésame

Dans une terrine, mélangez le tamarin, l'eau, le saké, l'ail et le gingembre. Ajoutez le tofu. Couvrez et laissez mariner entre 1 et 8 heures.

Faites chauffer l'huile végétale dans une poêle antiadhésive à feu moyen. Versez le tofu et la marinade et faites cuire 4 à 5 minutes en remuant constamment, jusqu'à ce que les cubes de tofu soient dorés et chauds. Arrosez d'un filet d'huile de sésame et servez.

GARNITURES POUR POMMES DE TERRE AU FOUR

Les pommes de terre cuites au four avec la peau sont particulièrement intéressantes car, laissées entières, elles conservent la plupart de leurs nutriments. Elles représentent une bonne source d'hydrates de carbone complexes, et leur peau, ainsi que les quelques millimètres de chair situés juste en dessous, contient des fibres, de la vitamine C, quelques vitamines du groupe B, y compris de l'acide folique et du fer. Si vous cuisez des pommes de terre autrement qu'au four, par exemple à l'eau ou à la vapeur, ne les épluchez qu'après cuisson, si c'est absolument nécessaire. Ne consommez jamais une pomme de terre tachée de vert, ou bien supprimez la partie verdie, car elle contient de la solanine, qui est toxique.

Cette même solanine, que renferment tous les membres de la famille des solanacées, peut être néfaste aux tout petits enfants ; c'est pourquoi il vaut mieux ne pas servir ces légumes avant 12 mois. Mais si votre enfant est âgé de plus de 1 an, n'hésitez pas à lui donner des pommes de terre, car dans la plupart des cas ce légume nourrissant et savoureux est bien toléré. Pour les plus petits, remplacez-les par d'autres féculents : les patates douces (qui n'appartiennent pas à la même famille), les ignames, les rutabagas ou le riz brun.

Certains restes congelés, par exemple un peu de ratatouille, peuvent constituer des garnitures minute pour les pommes de terre au four. Voici quelques suggestions, auxquelles vous ajouterez sûrement les vôtres.

GARNITURES VÉGÉTARIENNES

Tomates, oignons et olives sautés dans un
   doigt de vin (la cuisson élimine l'alcool)
Guacamole
Ratatouille
Houmous*
Curry de légumes au lait de coco
Champignons sautés à l'huile d'olive avec
   de l'ail, du citron et un peu de vin
Salsa mexicaine
Salade de chou*
Haricots à la tomate
Poireaux jeunes en rondelles fondus à
   l'huile d'olive avec un peu de vin
Haricots en boîte sans sucre ni sel ajouté,
   sautés à l'huile d'olive avec des
   oignons émincés et une pincée de curry
Chili doux au quinoa*
Épinards aux pois chiches*
Polenta aux légumes rôtis*
Ragoût de haricots à l'ail*
Sauce avocat* et haricots rouges

GARNITURES À BASE DE PRODUITS LAITIERS

Yaourt à la ciboulette
Yaourt grec à la menthe et au concombre
Fromage blanc de campagne avec de
   l'avocat et des oignons blancs hachés
Chèvre chaud et poivron rouge
Épinards hachés et feta
Tome de chèvre râpée et brocolis
Purée de maïs doux, dés de poivron rouge
   et ciboulette

GARNITURES À LA VIANDE ET AU POISSON

Thon, dés de poivron et sauce yaourt
   au curry*
Sauce au thon*
Dés de poulet et légumes sauce avocat*
Sardines à la tomate
Saumon frais ou en boîte, petits pois
   vinaigrette
Agneau haché sauce aux courgettes*

BOULETTES D'AGNEAU À L'INDIENNE

Ce plat se mange avec les doigts.

POUR 4 PORTIONS COPIEUSES

POUR LES BOULETTES
D'AGNEAU
875 g d'agneau haché
*1/2 cuil. à café de graines de
coriandre moulues*
*3/4 de cuil. à café de cumin
moulu*
2 gousses d'ail finement hachées
*1/2 cuil. à café de gingembre en
poudre*
1 échalote finement hachée
*1 cuil. à soupe de jus de citron
frais*

POUR LA CUISSON
*2 cuil. à soupe d'huile d'olive
vierge extra*
*1/2 cuil. à café de cannelle en
poudre*
4 cosses de cardamome
*1/4 de cuil. à café de girofle en
poudre*
*1/4 de cuil. à café de graines de
coriandre moulues*
1/2 cuil. à café de curcuma
1/2 cuil. à café de paprika
1 oignon moyen finement haché
2 cuil. à soupe d'eau
*Garniture facultative : yaourt
nature et dés de concombre*

Préparez la viande en mélangeant tous les ingrédients de la pre-mière liste et formez des boulettes.

Pour la cuisson, faites chauffer l'huile et les épices à feu moyen dans une poêle à fond épais. Quand l'huile commence à grésiller, ajoutez les boulettes (bien serrées mais sur une seule épaisseur) et laissez-les rissoler jusqu'à ce qu'elles soient bien dorées et presque cuites, soit environ 6 à 8 minutes. Sortez-les de la poêle et réservez-les. Mettez l'oignon et l'eau dans la poêle et grattez pour décoller la viande qui a pu attacher au fond. Faites revenir l'oignon envi-ron 20 minutes en mélangeant souvent ; il doit être tendre. Ajou-tez un peu d'eau s'il le faut pour éviter qu'il se dessèche ou qu'il attache. Remettez les boulettes d'agneau dans la poêle avec leur jus, couvrez et laissez bien réchauffer.

Disposez les boulettes, l'oignon et le jus de cuisson dans un plat de service et servez sans attendre, avec ou sans garniture.

BOULETTES AUX POIS CHICHES

*Ces petites boulettes savoureuses se mangent tièdes : chaudes, elles
brûlent les petits doigts, froides, elles perdent leur charme.*

POUR 4 À 6 PORTIONS

360 g de pois chiches cuits
*1 cuil. à soupe de pâte de curry
doux*
1 cuil. à café de yaourt
1 gros œuf
75 cl d'huile végétale

Mixez les pois chiches pour les réduire en une purée lisse. Ajou-tez les autres ingrédients et mélangez intimement le tout. For-mez des boulettes de la taille d'une bille.

Dans une casserole moyenne à fond épais ou dans une friteuse, faites chauffer l'huile à feu moyen jusqu'à ce qu'elle soit chaude, mais non fumante. Dorez les boulettes en plusieurs fois (sur une seule épaisseur) pendant 3 à 4 minutes. Égouttez-les sur une assiette recouverte de papier absorbant. Servez-les légèrement refroidies.

CROQUETTES DE POMMES DE TERRE AU CHOU

POUR 4 PORTIONS

500 g de pommes de terre farineuses pelées et coupées en morceaux
125 g de chou détaillé en cubes
4 cuil. à soupe de persil plat frais haché
1 petite botte de ciboulette fraîche
1 ou 2 cuil. à soupe d'huile d'olive vierge extra
Pour servir (facultatif) : sauce yaourt au curry (voir page 177)

Encore un régal qui fait du bien.

Mettez les pommes de terre et le chou dans le panier-vapeur au-dessus d'une casserole avec un fond d'eau bouillante, sans les mélanger. Couvrez et laissez cuire environ 20 minutes jusqu'à ce que les légumes soient tendres. Écrasez les pommes de terre à la fourchette, ajoutez le chou et mélangez bien, puis incorporez le persil et la ciboulette. Formez 8 croquettes.
Préchauffez le four à 240 °C.
Dans un poêlon en fonte allant au four, versez 1 cuillerée à soupe d'huile. Enfournez jusqu'à ce que l'huile soit chaude, mais non fumante. Déposez les croquettes dans le poêlon, remettez au four et faites dorer d'un côté environ 5 minutes. Retournez les croquettes, ajoutez un peu d'huile si nécessaire et remettez au four pour dorer l'autre côté encore 5 minutes. Servez avec une sauce au yaourt si vous le désirez.

PÂTÉ DE FOIE SANS SOUCI

Votre enfant peut profiter des nutriments dont le foie est si riche dès l'âge de 9 mois, mais mieux vaut consommer du foie biologique (voir page 81). En raison de sa haute teneur en vitamine A, il ne faut pas en manger trop souvent ; environ deux fois par mois est le rythme idéal.

Si vous avez la possibilité d'acheter du poulet biologique, il vous est certainement possible de vous procurer aussi du foie de volaille biologique, afin de faire un délicieux pâté « minute ». Pour cela, coupez le foie en petits morceaux en supprimant les filaments et les parties fibreuses. Hachez finement la moitié d'un petit oignon. Dans une petite poêle, faites chauffer environ 1 cuillerée à soupe d'huile d'olive, ajoutez les oignons et le foie et laissez cuire 5 à 8 minutes en mélangeant souvent. Ajoutez 2 cuil. à soupe de xérès sec (ou de jus de pomme) et une petite poignée de raisins secs hachés. Cuisez jusqu'à évaporation totale du liquide. Servez en tartines sur du pain grillé ou des crackers au seigle. Pour les plus petits, mixez le pâté une fois cuit. Ce plat se conserve 2 ou 3 jours au réfrigérateur dans un récipient fermé.

IDÉES POUR LES REPAS D'ANNIVERSAIRE

Quelle fête que le premier anniversaire de votre enfant ! Toutefois, l'élaboration d'un menu sain est un vrai casse-tête, sauf si vous piochez dans les idées que nous vous proposons. Voici donc quelques suggestions de repas de fête équilibrés, qui conviendront aux enfants de 12 mois et plus. Votre enfant et ses amis se régaleront. Pour le dessert, essayez la recette du gâteau aux pommes de la page 157, sans oublier d'en préparer un second pour les adultes, car tout le monde en voudra.

MENU VÉGÉTARIEN

Boulettes
aux pois chiches*

Petits cubes de pommes de terre
rôtis au four

Bâtonnets de carotte
et de concombre, sauce yaourt
au curry*

Chips de maïs

Tomates-cerises coupées en quartiers
Quartiers de pomme

Raisins secs

MENU SIMPLE

Boulettes d'agneau
à l'indienne*

Maïs doux en grains
et petits pois

Pâtes de maïs fantaisie à l'huile
d'olive et au parmesan

Bâtonnets de légumes,
sauce avocat*

Pop-corn

Boules de melon

MENU RAFFINÉ
....

Pâté de maquereau fumé
et galettes d'avoine

Croquettes de pommes de terre
au chou*

Bouquets de brocolis à la vapeur

Bâtonnets de carotte
et de concombre, sauce au thon*

Cubes d'avocat

Myrtilles et tranches de poire

Cerises séchées

MENU ORIENTAL
....

Bouchées de tofu*

Bouchées de saumon à l'asiatique*

Tranches de champignons et pois
gourmands (sans fils) sautés au wok

Bâtonnets de concombre et
galettes de riz

Crackers japonais à la farine de riz
*(vérifiez qu'ils ne contiennent pas
de fruits à coque entiers, qui présentent
un danger d'étouffement)*

Cubes de banane et de papaye

MENU ITALIEN
....

Pâtes fantaisie
à la sauce tomate*

Mini-pizzas de polenta*

Boulettes de viande

Bâtonnets de légumes,
sauce au thon*

Bâtonnets de courgette
rôtis au four

Assortiment d'olives dénoyautées

Demi-grains de raisin blanc
et noir épépinés

AUTRES PLATS DE FÊTE
....

Croquettes de poisson

Saucisses végétariennes
et petits pois

Falafels

Galettes d'avoine tartinées
de pâte de noix de cajou et de
confiture 100 % fruits

Quenelles de saumon*

Légumes racines rôtis au four

Canapés de pain de seigle grillé

Pétales de maïs sans sucre

Jus et veloutés de fruits frais*

POMMES AU BEURRE

POUR 4 PORTIONS

1 cuil. à soupe de beurre doux
2 pommes moyennes épluchées,
épépinées et coupées en
tranches fines
Cannelle et noix muscade en
poudre (facultatif)

Ce dessert est aussi simple que savoureux.

Faites fondre le beurre dans une poêle antiadhésive et ajoutez les tranches de pomme. Faites-les sauter environ 7 minutes pour qu'elles soient dorées et tendres. Retirez du feu, saupoudrez d'épices si vous le désirez et servez.

CROQUANT À L'ANANAS

POUR 4 À 6 PORTIONS

500 g d'ananas frais en
rondelles
5 cuil. à soupe de jus d'ananas
ou de jus de pomme
1 cuil. à soupe de beurre doux
2 cuil. à soupe de mélasse noire
1 cuil. à soupe de jus de citron
frais
120 g de flocons d'avoine
1/2 cuil. à café de noix muscade
fraîchement râpée
Garniture : yaourt nature
(facultatif)

Un dessert original qui marie des textures différentes.

Préchauffez le four à 190 °C. Disposez les rondelles d'ananas sur une seule épaisseur dans un plat à four. Arrosez-les de jus.
Faites fondre le beurre et la mélasse dans une petite casserole, ajoutez le jus de citron. Versez la préparation sur les flocons d'avoine et mélangez intimement.
Saupoudrez l'ananas de noix muscade, puis répartissez les flocons d'avoine sur le dessus en formant une couche un peu plus épaisse au milieu ; l'ananas doit être entièrement recouvert.
Enfournez à mi-hauteur et laissez cuire entre 35 et 40 minutes pour que le dessus soit croustillant.
Laissez refroidir hors du four environ 10 minutes avant de servir.
À l'aide d'une spatule ou d'une pelle à tarte, déposez une ou deux rondelles d'ananas dans chaque assiette. Servez avec du yaourt si vous le désirez.

GÂTEAU AUX POMMES

POUR 2 GÂTEAUX DE 23 CM

2 pommes moyennes râpées
135 g de raisins secs
20 cl de miel doux
1/2 cuil. à café de cannelle en
    poudre
1/2 cuil. à café de piment de la
    Jamaïque (ou « toute-épice »)
1/2 cuil. à café de gingembre en
    poudre
1 pincée de girofle en poudre
2 cuil. à soupe de beurre doux
40 cl d'eau
290 g de semoule de maïs fine
1 cuil. à café de bicarbonate de
    soude
45 g de chocolat biologique de
    premier choix, mi-amer ou au
    lait

Ce gâteau vous séduira par son parfum et vous étonnera par sa légèreté. Il peut également être préparé avec de la farine complète au lieu de semoule de maïs.

Préchauffez le four à 150 °C. Beurrez et farinez légèrement deux moules à manqué de 23 cm.

Mettez les pommes, les raisins, le miel, les épices et le beurre dans une casserole moyenne. Incorporez l'eau et portez à ébullition à feu moyen. Couvrez et laissez cuire environ 10 minutes pour que les pommes soient tendres. Laissez refroidir.

Dans une grande terrine, mélangez la semoule de maïs et le bicarbonate de soude. Ajoutez les ingrédients liquides et remuez juste assez pour mélanger le tout. Répartissez la pâte dans les moules et mettez au four entre 35 et 40 minutes ; les gâteaux doivent être dorés et rebondir sous le doigt. Posez les moules sur deux grilles. Râpez du chocolat sur le dessus et laissez refroidir avant de démouler.

Pour servir, présentez les gâteaux l'un sur l'autre ou séparément.

CRÈME DE BANANE

POUR 4 À 6 PORTIONS

3 belles bananes
4 cubes de compote d'abricots
    secs (voir page 131)
2 à 3 cuil. à café de jus de
    citron frais
70 g de baies (facultatif)
Décor : noix de coco séchée non
    sucrée (facultatif)

Ce dessert réunit toutes les qualités : non seulement c'est un vrai délice, mais il est aussi bon pour la santé !

Pelez les bananes et mettez-les dans un mixeur avec la compote d'abricots secs et le jus de citron. Mixez pour obtenir une purée mousseuse. Ajoutez éventuellement les baies, mixez, puis versez le mélange dans un plat de service.

Couvrez et mettez au réfrigérateur une heure environ.

Au moment de servir, saupoudrez de noix de coco râpée si vous le désirez.

De 15 à 24 MOIS

Lorsque vous lui aurez présenté les aliments ci-dessous, votre enfant aura achevé le passage du lait à une alimentation diversifiée et pourra manger comme le reste de la famille (à condition de ne pas abuser de sucre et de sel).

LES ALIMENTS NOUVEAUX

Présentez ces nouveautés les unes après les autres, en surveillant d'éventuelles réactions.

Fruits Oranges et pamplemousses.

Céréales Froment, à alterner avec d'autres céréales, afin de ne pas y recourir trop souvent.

Produits laitiers Lait et fromage. Mieux vaut insister sur le fromage et le lait de brebis ou de chèvre, et réduire les produits à base de lait de vache au minimum raisonnable.

Graines Tournesol, courge, sésame, lin, pignons de pin (le tout moulu) et graines germées. Vous pouvez introduire ces produits un peu plus tôt (vers 9 mois), si vous ne soupçonnez pas d'allergie chez votre enfant. C'est une excellente source de sels minéraux, de fibres et d'acides gras essentiels.

Fruits à coque Si les allergies vous inquiètent, il faut introduire ces denrées en dernier dans l'alimentation de votre enfant. Sinon, n'hésitez pas à profiter de leur richesse en nutriments. Il s'agit des amandes, des châtaignes, des noix, des pistaches, des noix du Brésil, des noisettes, des noix de cajou, des noix de pécan, etc. Vous trouverez plus de détails sur les arachides page 65.

MENU 1

PETIT DÉJEUNER
Tartines de pain complet grillé
et de confiture 100 % fruits
Fromage blanc de campagne

DANS LA MATINÉE
Raisins secs
Lait

DÉJEUNER
Croustilles de poulet*
Céleri et carottes en fines rondelles

GOÛTER
Fruit ou galettes au seigle

DÎNER
Riz à la méditerranéenne*
Fruit

MENU 4

PETIT DÉJEUNER
Porridge aux fruits

DANS LA MATINÉE
Raisins secs

DÉJEUNER
Pâtes sauce pesto
aux noix*
Fruit

GOÛTER
Fruit

DÎNER
Poulet au four aux roues
de chariot*
Gâteau aux pommes*

MENU 2

PETIT DÉJEUNER
Pétales de maïs sans sucre
aux fruits

DANS LA MATINÉE
Fruit

DÉJEUNER
Languettes de pita
au houmous*
Taboulé*
Tranches d'avocat

GOÛTER
Fruit

DÎNER
Sardines fraîches grillées
Légumes à la vapeur

MENU 3

PETIT DÉJEUNER
Haricots à la tomate
et champignons

DANS LA MATINÉE
Mini-galettes de riz

DÉJEUNER
Gratin de pommes de terre
surprise*
Carottes vapeur

GOÛTER
Fruit
Gâteau d'avoine
aux dattes*

DÎNER
Polenta aux légumes rôtis*

MENU 5

PETIT DÉJEUNER
Bouillie de quinoa et de millet*
avec des graines moulues
Yaourt

DANS LA MATINÉE
Raisins secs

DÉJEUNER
Riz brun sauce brocolis
aux anchois*
Fruit

GOÛTER
Fruit ou biscuits

DÎNER
Mini-pizza
Salade de fruits tropicaux*

MENU 6

PETIT DÉJEUNER
Bouillie de quinoa et de millet* aux
fruits

DANS LA MATINÉE
Galettes de riz

DÉJEUNER
Bâtonnets de poisson*
et salade de chou*
Entremets des pionniers*

GOÛTER
Fruit

DÎNER
Patate douce au four
Brocolis à la vapeur
Fruit ou yaourt

PÂTES AUX PETITS POIS ET À LA POMME DE TERRE

POUR 4 PORTIONS

1 grosse pomme de terre pelée et coupée en dés de 5 mm de côté

30 g de petits pois frais ou surgelés

250 g de pâtes cuites

1 cuil. à soupe d'huile d'olive vierge extra

Garniture facultative : sauge, thym ou persil frais

Pour cette recette, choisissez des pâtes en forme de coquilles (conchiglie) pour que les petits pois et les pommes de terre puissent se cacher à l'intérieur.

Faites cuire la pomme de terre à la vapeur environ 10 minutes, jusqu'à ce qu'elle soit presque tendre. Ajoutez les petits pois et poursuivez la cuisson environ 5 minutes s'ils sont frais, 7 ou 8 minutes s'ils sont surgelés.

Mélangez tous les ingrédients dans un plat creux. Garnissez éventuellement des fines herbes.

PÂTES À LA SAUCE DORÉE AU CHOU-FLEUR

POUR 4 À 6 PORTIONS

360 g de chou-fleur finement haché

1 échalote finement hachée

1/4 de cuil. à café de curcuma

25 cl d'eau filtrée

1 cuil. à soupe d'huile d'olive vierge extra

360 g de pâtes cuites encore chaudes

Voici une façon savoureuse et facile de servir du chou-fleur.

Mettez le chou-fleur, l'échalote, le curcuma et l'eau dans une poêle antiadhésive sur feu moyen. Portez à ébullition et laissez cuire en remuant de temps à autre jusqu'à ce que le chou-fleur soit tendre et que l'eau se soit évaporée, soit 10 à 15 minutes.

Ajoutez l'huile, mélangez et poursuivez la cuisson 4 à 5 minutes pour que le chou-fleur soit très tendre et commence à dorer sur les bords.

Versez dans un grand plat de service, ajoutez les pâtes et mélangez intimement. Servez.

PÂTES À LA SAUCE AUX COURGETTES

POUR 4 À 6 PORTIONS

1 gousse d'ail finement hachée
25 cl d'eau filtrée
1 courgette de 250 g, parée et
coupée en dés
1 cuil. à café de feuilles de thym
frais
1 cuil. à soupe d'huile d'olive
250 g de pâtes cuites encore
chaudes
Garniture : parmesan râpé
(facultatif)

Les grosses pâtes en forme de coquilles (conchiglie) *et les macaronis*
sont idéals avec cette sauce.

Dans une poêle antiadhésive, mettez l'ail et 2 cuillerées à soupe d'eau, en veillant à ce que l'ail soit couvert d'eau, et laissez sur feu moyen. Quand l'eau s'est évaporée, ajoutez la courgette, le reste de l'eau et le thym ; laissez cuire environ 15 minutes en remuant de temps en temps. Le liquide doit s'évaporer et la courgette devenir très tendre. Retirez du feu. Incorporez l'huile d'olive et les pâtes. Servez avec du parmesan si vous le désirez.

PÂTES À LA SAUCE AUX CHAMPIGNONS ET À L'OIGNON

POUR 4 À 6 PORTIONS

1 gros oignon émincé
25 cl d'eau filtrée
250 g de champignons parés,
essuyés et coupés en dés
1 feuille de laurier
360 g de pâtes cuites encore
chaudes
2 à 4 cuil. à soupe d'huile
d'olive vierge extra

Pour cette recette, utilisez des pâtes en forme de petites roues (ruote).

Mettez l'oignon et la moitié de l'eau dans une poêle antiadhésive sur feu moyen. Portez à ébullition et laissez cuire 7 à 10 minutes, jusqu'à ce que le liquide soit presque évaporé. Ajoutez les champignons, le reste de l'eau et la feuille de laurier. Remuez et attendez que l'ébullition reprenne, puis couvrez et laissez cuire jusqu'à ce que l'oignon soit tendre (environ 15 minutes). Retirez le couvercle et poursuivez la cuisson en mélangeant de temps en temps jusqu'à ce que le liquide soit presque entièrement évaporé. Retirez la feuille de laurier, puis versez la sauce dans un plat creux avec les pâtes. Arrosez d'huile à votre goût et mélangez intimement. Servez.

161

SAUCE TOMATE

POUR 6 À 10 PORTIONS

1 kg de tomates parées, pelées et coupées en deux dans le sens de la hauteur, ou une boîte de 800 g d'olivettes entières
1 petit oignon émincé
1 gousse d'ail finement hachée
1 petite botte de basilic frais
1 cuil. et demie d'huile d'olive vierge extra (facultatif)

Les tomates sont la meilleure source de lycopène, l'un des caroténoïdes les plus efficaces pour lutter contre le cancer.

Mettez les tomates, l'oignon et l'ail dans une cocotte à feu moyen et portez à ébullition. Réduisez le feu et laissez mijoter doucement pendant environ 15 minutes, jusqu'à ce que les tomates soient molles mais non en bouillie.

Hachez grossièrement le basilic et incorporez-le à la sauce. Continuez la cuisson encore 15 minutes sans laisser les tomates se défaire. Elles doivent garder une belle couleur.

Retirez du feu et incorporez éventuellement l'huile d'olive. Servez immédiatement ou congelez.

PESTO AUX NOIX

POUR 4 À 6 PORTIONS

1 gousse d'ail
30 g de parmesan râpé
45 g de noix
100 g de basilic frais
4 cuil. à soupe d'huile d'olive vierge extra

Au moment de mélanger cette sauce avec les pâtes, il vous faudra peut-être ajouter un peu d'eau de cuisson des pâtes.

Dans un mortier, pilez l'ail, le fromage et les noix pour obtenir une pâte fine et homogène. Vous pouvez aussi passer les ingrédients au mixeur. Ajoutez l'huile en un mince filet sans cesser de mélanger afin que la préparation reste homogène.

SAUCE BROCOLIS AUX ANCHOIS

POUR 4 PORTIONS

Cette sauce convient particulièrement aux pâtes fantaisie.

135 g de brocolis en bouquets
2 filets d'anchois
3 cuil. à soupe d'huile d'olive
*   vierge extra*
1/2 zeste de citron râpé
*   (facultatif)*

Cuisez les brocolis à la vapeur environ 8 minutes. Retirez-les du feu. Faites sauter les anchois à l'huile en remuant pour les réduire en miettes. Ajoutez les brocolis et poursuivez la cuisson 3 à 4 minutes en mélangeant et en écrasant les bouquets pour obtenir une purée grossière très chaude. Ajoutez éventuellement le zeste de citron, puis retirez du feu et versez sur les pâtes.

Si la sauce n'est pas assez onctueuse, allongez-la avec un peu d'eau de cuisson des pâtes.

VARIEZ LES PÂTES

Quand on veut réduire ou supprimer la consommation de blé de son enfant, l'un des moyens les plus faciles est de choisir ses pâtes parmi les nombreuses variétés préparées à partir d'autres céréales que le traditionnel blé dur.

Le blé est très riche en gluten, protéine élastique qui se gonfle d'air à la chaleur (c'est ce qui le rend panifiable). C'est grâce au gluten que les pâtes sont légères, autre caractéristique appréciable. Mais ce même gluten est également responsable de troubles allergiques.

Si vous tenez à utiliser des pâtes de blé, choisissez-les de préférence au blé complet. Bien sûr, il n'est pas dangereux de manger de temps en temps des pâtes fraîches, aromatisées ou non, mais n'oubliez pas que ce sont des produits raffinés, nutritionnellement incomplets. Dans tous les cas, l'emploi de farine biologique est souhaitable.

La plupart des magasins de produits naturels proposent des pâtes différentes de toutes sortes, parfois colorées avec de l'épinard ou de la tomate. Les céréales employées sont le maïs, le riz, le millet et le seigle. Attention, elles ne se cuisent pas forcément comme les pâtes classiques. Leur temps de cuisson est plus long et elles sont en général plus nourrissantes. Votre appétit sera satisfait avec une plus petite portion. Il existe aussi des nouilles japonaises à base de sarrasin ; suivez les instructions imprimées sur l'emballage, car leur préparation est un peu inhabituelle. Les nouilles de riz chinoises, bien que raffinées, sont également intéressantes. Ces deux produits sont délicieux simplement accompagnés de sauce de soja et d'huile de sésame.

Expérimentez tant que vous le pouvez, sans oublier que plus grande sera la variété des ingrédients, plus vous offrirez de nutriments à votre enfant.

HOUMOUS

POUR 6 À 10 PORTIONS

475 g de pois chiches germés et
    cuits (voir ci-contre)
2 grosses gousses d'ail
3 à 4 cuil. à soupe de tahin
    (pâte de sésame)
4 à 6 cuil. à soupe de jus de
    citron frais
3 cuil. à soupe d'huile d'olive
    vierge extra
Eau filtrée tiédie (si nécessaire)

C'est mon plat rapide préféré. Le houmous se marie bien à la pita ou aux bâtonnets de crudités, mais se déguste également à la cuillère ou sur une pomme de terre au four.

Mettez les pois chiches, l'ail et 3 cuillerées à soupe de tahin dans le bol du mixeur. Tout en laissant tourner l'appareil, ajoutez 4 cuillerées à soupe de jus de citron et 2 cuillerées à soupe d'huile d'olive. Continuez à mixer pour obtenir une purée lisse et onctueuse. Si le mélange est très épais, laissez tourner le moteur du mixeur et incorporez assez d'eau pour atteindre la consistance désirée. Goûtez et rectifiez éventuellement l'assaisonnement avec un peu de tahin ou de jus de citron.
Versez dans un plat de service en formant une petite montagne. Avec le doigt, dessinez des sillons allant du milieu vers les bords. Versez le reste de l'huile d'olive au sommet de la montagne pour qu'elle coule dans les sillons. Servez immédiatement.

POUR FAIRE GERMER LES POIS CHICHES
Mettez les pois chiches dans un bol, couvrez d'eau tiède et laissez tremper une nuit. Videz l'eau, rincez-les et remettez-les dans le bol. Ajoutez juste assez d'eau pour les couvrir. Répétez l'opération plusieurs fois par jour pendant 3 jours environ, jusqu'à ce que les germes apparaissent. Vous pouvez maintenant les cuire.

SALADE À TARTINER

POUR 4 PORTIONS

2 tomates moyennes, pelées,
    parées et coupées en dés
1/2 poivron vert paré, épépiné
    et coupé en dés
1/2 avocat pelé, dénoyauté et
    coupée en dés
1 petit concombre ou un
    tronçon de 1 cm × 8 cm,
    pelé et coupé en dés
1 cuil. à café de jus de
    citron frais
1 petite poignée de feuilles
    de basilic frais
1 à 2 cuil. à soupe d'huile
    d'olive vierge extra
90 à 150 g (selon le goût)
    de feta de brebis

Si votre enfant n'aime pas les salades, vous n'aurez qu'à tartiner ce mélange sur une rondelle de pita au blé complet et à mettre le tout sous le gril pour faire fondre le fromage. Cette mini-pizza passera toute seule !

Mélangez les légumes dans une terrine. Incorporez le jus de citron. Si les feuilles de basilic sont très petites, laissez-les entières, sinon hachez-les grossièrement avant de les ajouter au mélange (réservez-en éventuellement pour la garniture). Versez la salade dans une assiette creuse et arrosez d'une cuillerée à soupe d'huile d'olive.
Émiettez la feta sur la salade, arrosez d'une seconde cuillerée d'huile, puis décorez de quelques feuilles de basilic si vous le désirez.

SALADE DE CHOU

POUR 4 PORTIONS

6 cuil. à soupe de yaourt nature
2 cuil. à soupe de jus d'ananas
La moitié d'un petit chou blanc
(750 g) finement émincé, sans
le cœur

POUR LA GARNITURE
30 g de graines de tournesol
1/4 à 1/2 cuil. à café de cumin
en poudre
1 petite botte de ciboulette
(facultatif)

Cette recette est également bonne avec du chou rouge ou un mélange à parts égales de carottes râpées et de chou.

Dans un grand saladier, battez le yaourt et le jus d'ananas. Ajoutez le chou et mélangez pour qu'il soit bien enrobé de sauce. Couvrez et placez au réfrigérateur au moins 20 minutes.
Mettez les graines de tournesol dans une petite poêle à fond épais sur feu moyen. Faites-les dorer uniformément pendant environ 4 minutes, puis laissez-les refroidir hors du feu.
Broyez les graines de tournesol au mixeur avec du cumin selon le goût. Hachez finement la ciboulette, le cas échéant.
Pour servir, répartissez les graines de tournesol et la ciboulette sur la salade de chou, ou bien présentez celle-ci telle quelle et les accompagnements à part.

TABOULÉ

POUR 4 À 6 PORTIONS

125 g de boulghour
(ou pilpil de blé)
50 cl d'eau filtrée bouillante
250 g de tomates parées,
coupées en dés
125 g de concombre pelé, coupé
en dés
20 g de feuilles de persil plat
hachées
4 cuil. à soupe de menthe
fraîche hachée
3 cuil. à soupe de jus de citron
frais, ou plus selon le goût
3 cuil. à soupe d'huile d'olive
vierge extra
1/4 de cuil. à café de cumin en
poudre (facultatif)

Même les enfants qui n'aiment pas les salades apprécieront celle-ci.

Dans un saladier, versez le boulghour et couvrez-le d'eau bouillante. Laissez gonfler 1 heure. Puis égouttez-le soigneusement et remettez-le dans le saladier.
Ajoutez les autres ingrédients et mélangez intimement. Laissez reposer encore 1 heure ou même toute la nuit avant de servir.

LES ALIMENTS MIRACLES De 15 à 24 MOIS

Ces quelques menus types sont destinés à vous montrer avec quelle facilité vous pouvez appliquer les conseils des pages 76 à 79. Les aliments miracles apparaissent ici en italique. Certains de ces menus peuvent être adaptés aux enfants plus jeunes. À l'exception du gibier, tous sont économiques en plus d'être nutritifs.

MENU 1

PETIT DÉJEUNER
Porridge à l'*avoine*
Pomme râpée

DANS LA MATINÉE
Raisins secs

DÉJEUNER
Maquereau en boîte
sur toast de seigle
Raisin frais

GOÛTER
Fruit

DÎNER
Ragoût de *venaison**
Légumes à la vapeur
Fruit

MENU 4

PETIT DÉJEUNER
Haricots à la tomate et
champignons
Melon

DANS LA MATINÉE
Galettes d'*avoine*

DÉJEUNER
Soupe à l'*oignon*
Tartines de pain complet grillé à la
pâte de *graines de tournesol*

GOÛTER
Fruit

DÎNER
Bouchées de *saumon* à l'asiatique*
Riz brun et *algues* en flocons

MENU 2
· · · · · · · · · · · · · ·

PETIT DÉJEUNER
Müesli de riz et d'orge*

DANS LA MATINÉE
Yaourt

DÉJEUNER
Languettes de pita
et bâtonnets de crudités au
houmous*
*Abricots**

GOÛTER
Fruit

DÎNER
Thon aux vingt gousses d'*ail**
Lentilles
Fruit

MENU 3
· · · · · · · · · · · · · ·

PETIT DÉJEUNER
Œufs brouillés
et rognures de *saumon* fumé
Toast de seigle
Fruit

DANS LA MATINÉE
Gâteau d'*avoine* aux dattes*

DÉJEUNER
Pâtes de maïs sauce *brocolis*
aux anchois*
Fruit

GOÛTER
Fruit

DÎNER
Tofu sauté aux *carottes*,
au *chou* et aux *shitakés*
Riz brun
Papaye

MENU 5
· · · · · · · · · · · · · ·

PETIT DÉJEUNER
Purée de *riz* aux fruits*
et *graines moulues*
Ananas

DANS LA MATINÉE
Raisins secs

DÉJEUNER
Maquereau à la provençale*
Choux de Bruxelles au citron*

GOÛTER
Fruit

DÎNER
Potiron au four et gratin de pommes
de terre surprise*
Tranches de *pomme*

MENU 6
· · · · · · · · · · · · · ·

PETIT DÉJEUNER
Bouillie de quinoa et de millet*
Papaye

DANS LA MATINÉE
Yaourt sucré à la *mélasse*

DÉJEUNER
Croquettes de pommes
de terre au *chou**
Fruit

GOÛTER
Fruit

DÎNER
Faisan aux *abricots**
Brocolis à la vapeur
Riz brun

CURRY DE POISSON AU LAIT DE COCO

POUR 4 PORTIONS

250 g de thon frais sans peau
  ni arêtes
60 g de brocolis, la tige pelée
  et coupée en petits dés, le reste
  détaillé en petits bouquets
1 petite pomme de terre (90 g)
  coupée en dés de 1,25 cm
1 cuil. à soupe d'huile d'olive
  vierge extra
1 petit oignon finement haché
2 à 3 cuil. à café de pâte de
  curry doux ou 1 cuil. à café
  de curry doux en poudre
12 cl de lait de coco non sucré
Garniture : 1 petite poignée
  de feuilles de coriandre
  fraîche (facultatif)

*Vous pouvez remplacer le thon par tout autre poisson à chair ferme,
et substituer des petits pois (frais ou surgelés) aux brocolis.*

Rincez le poisson et épongez-le. Coupez la chair en cubes de 1,25 cm et mettez-les au réfrigérateur.

Faites cuire à la vapeur les brocolis et la pomme de terre ; comptez entre 8 et 10 minutes pour qu'ils soient à peine tendres. Réservez.

Faites chauffer ensemble l'huile et l'oignon pendant 10 minutes environ. Ajoutez le curry en pâte ou en poudre, mélangez, puis ajoutez les légumes.

Incorporez le lait de coco. Portez à ébullition. Ajoutez le poisson et baissez le feu pour que le liquide frémisse. Laissez cuire entre 5 et 8 minutes : le poisson doit être entièrement opaque.

Servez avec ou sans riz, en décorant éventuellement de coriandre. Écrasez à la fourchette si nécessaire.

FAISAN AUX ABRICOTS

POUR 4 À 6 PORTIONS

1 faisan vidé de 1,25 à 1,5 kg
1 feuille de laurier
250 g d'abricots secs
250 g de petits oignons
  ou d'oignons moyens coupés
  en quartiers
1 à 2 cuil. à soupe d'huile
  d'olive vierge extra
12 à 20 cl d'eau filtrée
  ou de bouillon aux herbes
  (voir page 176)

*Le faisan est assez cher, mais c'est aussi un aliment miracle
(voir page 76). Si l'animal a été tué à la chasse, veillez à bien ôter
tous les plombs de sa chair.*

Préchauffez le four à 230 °C. Rincez l'intérieur du faisan et mettez-y la feuille de laurier. Troussez l'oiseau si vous le désirez, puis disposez-le dans un plat à four assez grand pour qu'il reste de la place. Répartissez les abricots et les oignons autour du faisan, arrosez le tout d'huile, puis mouillez les abricots et les oignons avec 12 cl d'eau.

Enfournez à mi-hauteur pour 55 minutes environ. Pour vérifier que le faisan est cuit à point, tirez sur l'os de la cuisse, qui doit bouger facilement, et piquez la cuisse à l'articulation : le jus qui s'écoule doit être clair. Si les abricots et les oignons se dessèchent et prennent trop de couleur, arrosez-les d'un peu d'eau et couvrez le plat d'un papier d'aluminium.

Au bout de ce temps, sortez le plat de four et retournez le faisan sur un plat de service. Laissez-le reposer au moins 10 minutes (ou mieux, 20 minutes) avant de le découper.

Juste avant de servir, réchauffez les abricots et les oignons dans le plat posé sur le feu, en les mouillant d'eau ou de bouillon si nécessaire. Mélangez bien en grattant les jus de cuisson caramélisés au fond du plat. Servez sans attendre.

RAGOÛT DE VENAISON

DE 4 À 6 PORTIONS

1 cuil. à soupe d'huile d'olive
    vierge extra
750 g de venaison coupée en
    cubes de 5 cm
1 petit fenouil paré coupé en dés
12 oignons grelots ou
    12 oignons blancs parés
3 carottes parées, coupées en dés
250 g de champignons parés,
    brossés et coupés en quartiers
1 feuille de laurier
1 petit bouquet de thym frais ou
    1/2 cuil. à café de thym sec
2 lamelles de zeste d'orange de
    5 cm de long
1 grosse patate douce pelée et
    coupée en dés de 1,25 cm

Ce ragoût s'améliore avec le temps. Si vous le mettez au réfrigérateur toute la nuit, vous pourrez retirer la couche de graisse du dessus le lendemain et alléger le repas. À défaut de venaison, prenez du bœuf.

Dans une grande cocotte ou une grande casserole, faites chauffer l'huile à feu moyen. Jetez-y la viande et faites-la dorer sur toutes ses faces. Ajoutez le fenouil, les oignons entiers et les carottes, et laissez cuire en remuant jusqu'à ce que les oignons soient transparents. Ajoutez les champignons, puis couvrez et laissez cuire, en remuant de temps en temps, jusqu'à ce que les champignons soient un peu ramollis et que le jus qu'ils ont rendu ait été absorbé par les légumes, soit entre 5 et 8 minutes.

Couvrez la viande d'eau chaude, ajoutez les aromates et le zeste d'orange, et portez à ébullition. Réduisez le feu pour que le liquide mijote doucement et laissez cuire 2 heures partiellement couvert. Vérifiez de temps en temps que le niveau du liquide ne baisse pas trop et complétez avec de l'eau chaude si nécessaire.

Au bout de ce temps, ajoutez la patate douce et mélangez, puis couvrez et prolongez la cuisson 15 minutes. Servez.

169

GRATIN DE POMMES DE TERRE SURPRISE

DE 4 À 6 PORTIONS

500 g de pommes de terre pelées et coupées en gros morceaux

500 g de patates douces pelées et coupées en gros morceaux

1/4 de cuil. à café de cannelle en poudre et de noix muscade râpée

1 à 2 cuil. à soupe de beurre doux (facultatif)

30 g de parmesan râpé

Pour transformer ce plat en croquettes de pommes de terre surprise, passez tous les ingrédients cuits ensemble au mixeur et faites-les dorer par petites portions au four ou à la poêle, avec 1 cuillerée à soupe d'huile d'olive.

Faites cuire à la vapeur les pommes de terre et les patates douces pendant environ 20 à 25 minutes pour qu'elles soient bien tendres.

Allumez le gril ou préchauffez le four à 240 °C.

Mettez les légumes dans une grande terrine et écrasez-les grossièrement à la fourchette. Incorporez les épices, le beurre le cas échéant, et versez le mélange dans un plat à four. Saupoudrez de parmesan râpé.

Faites gratiner jusqu'à ce que le dessus soit bien doré et que les légumes soient chauds.

SOUPE DE POISSON AU CURRY

POUR 4 À 6 PORTIONS

1 cuil. à soupe d'huile d'olive vierge extra

Environ 3 oignons moyens finement hachés

250 g de pommes de terre pelées, râpées

1 carotte pelée, parée et râpée

12 cl d'eau filtrée

50 cl de lait de soja

1/2 à 1 cuil. à café de curry en poudre, selon le goût

350 g de filets de poisson blanc sans arêtes, coupés en morceaux de 2,5 cm

POUR LA GARNITURE
Coriandre ou persil plat frais
Paprika

Grâce au lait de soja, cette recette vous permet de limiter votre consommation de lait de vache. N'importe quel poisson blanc à chair ferme convient, ainsi que le saumon.

Dans une poêle moyenne à fond épais, faites chauffer l'huile et les oignons à feu moyen. Couvrez, réduisez le feu et laissez cuire doucement à couvert, en remuant de temps en temps, jusqu'à ce que les oignons soient transparents et ne dégagent plus d'odeur agressive.

Ajoutez les pommes de terre, la carotte et l'eau, mélangez et portez à ébullition. Laissez mijoter environ 7 minutes jusqu'à ce que les légumes soient tendres.

Incorporez le lait et le curry, couvrez et laissez mijoter doucement. L'arôme doit être délicat et les légumes cuits à cœur (environ 30 minutes). Si vous le désirez, vous pouvez arrêter là la préparation du plat et le mettre au réfrigérateur une nuit pour que sa saveur se développe.

Ajoutez le poisson, mélangez et laissez cuire environ 5 minutes ; le poisson doit être opaque. Décorez de coriandre ou de persil, et de paprika et servez.

ÉGAYEZ VOS PIZZAS

La pizza est un repas rapide idéal pour les enfants, car elle peut se préparer en quelques minutes à partir de ce qu'il y a dans vos placards. C'est aussi un moyen de proposer des légumes qui seraient refusés sous une autre forme.

La base de la pizza, c'est évidemment la pâte à l'italienne, mais cela peut aussi être un petit pain rond coupé en deux, une pita au blé complet ou même un fond de pizza au blé complet acheté tout prêt dans un magasin de produits naturels. Si votre enfant doit éviter le froment, essayez de préparer une pâte avec de la farine sans blé, en vente dans les magasins spécialisés. Les rondelles de polenta grillées (voir page 150) constituent également une alternative intéressante.

Pour servir la pizza, coupez-la en grands triangles ou taillez-y des morceaux adaptés aux petites mains avec un emporte-pièce. Les enfants plus grands apprécient de participer à la préparation ; il vous suffit de hacher et d'émincer les ingrédients, puis de laisser vos apprentis cuisiniers les disposer sur la pâte.

Pour la sauce, une sauce tomate maison congelée en cubes est parfaite, mais vous pouvez également employer une sauce du commerce. Les garnitures ne sont limitées que par l'étendue de vos provisions du moment, mais voici quelques suggestions pour stimuler votre imagination, à utiliser seules ou à combiner. Vous trouverez d'autres idées de sauces pages 160 à 163.

Contrairement à une habitude tenace, la pizza n'est pas forcément garnie de fromage. Si vous tenez à en ajouter, choisissez-le parmi la liste ci-dessous.

Une fois que vous aurez composé votre pizza, passez-la à four chaud jusqu'à ce que les bords de la pâte soient dorés et que la garniture soit cuite.

- Oignons finement hachés
- Champignons et poivron en rondelles
- Courgettes et olives en rondelles
- Fromage de chèvre émietté ou râpé
- Thon
- Carottes râpées
- Cœurs d'artichaut marinés en tranches fines

- Épinards hachés et feta avec de l'origan
- Oignons rouges en fines rondelles et ail haché
- Bouquets de brocolis émincés
- Petits pois
- Rondelles d'aubergine cuites à la vapeur
- Câpres
- Fenouil et poireau en fines rondelles

- Asperges en tronçons
- Ratatouille
- Lamelles de fromage de soja
- Parmesan râpé (avec modération)
- Pesto
- Poulet cuit émincé
- Sardines
- Mozzarelle au lait de bufflonne
- Saumon

RIZ CANTONAIS

Ce plat constitue un repas à lui seul, mais si vous êtes pressé vous pouvez supprimer l'omelette.

POUR 4 À 6 PORTIONS

POUR L'OMELETTE
2 œufs moyens
1/2 cuil. à café de tamarin
1 grosse poignée de ciboulette
    fraîche
1 cuil. à café d'huile de sésame
Pour le riz
1 cuil. à café d'huile de sésame
225 g de riz brun cuit
60 g de petits pois frais ou
    surgelés
12 à 20 cl d'eau
125 g de crevettes cuites coupées
    en morceaux (facultatif)
Tamarin selon le goût (facultatif)
Coriandre hachée pour le décor

Pour faire l'omelette, battez les œufs et le tamarin dans un bol. Hachez la ciboulette et ajoutez-la à la préparation.
Faites chauffer l'huile dans une poêle antiadhésive sur feu moyen. Quand elle est chaude, versez les œufs et laissez cuire environ 2 minutes. Couvrez et poursuivez la cuisson jusqu'à ce que le dessus soit pris. Retournez l'omelette sur une planche à découper et détaillez-la en petits dés. Réservez.
Pour le riz, faites chauffer l'huile dans la même poêle. Ajoutez le riz, puis les petits pois et l'eau. Mélangez et laissez chauffer environ 5 minutes ; les petits pois doivent être presque cuits. Ajoutez éventuellement les crevettes et réchauffez-les. Pour servir, incorporez les dés d'omelette, assaisonnez de tamarin si vous le désirez et décorez de coriandre.

RIZ AUX ÉPICES

Voici comment transformer un reste de riz cuit en festin pour toute la famille.

POUR 4 PORTIONS

2 cuil. à soupe d'huile d'olive
    vierge extra
1 oignon moyen finement haché
2 gousses d'ail finement hachées
2 feuilles de laurier
4 clous de girofle
1/2 cuil. à café de cannelle
1/4 de cuil. à café de graines
    de coriandre moulues
1/4 de cuil. à café de gingembre
    en poudre
1/4 de cuil. à café de curcuma
1 petite tomate mûre pelée
    et coupée en dés
1 petite pomme de terre pelée
    et coupée en dés
4 cuil. à soupe de bouillon
    aux herbes (voir page 176)
225 g de riz brun cuit
1 cuil. à café de mélasse
    (facultatif)
1/4 à 1/2 cuil. à café de noix
    muscade râpée

Dans une grande poêle à fond épais, faites chauffer l'huile sur feu moyen. Ajoutez l'oignon, l'ail, les feuilles de laurier et les clous de girofle et laissez revenir jusqu'à ce que l'oignon soit transparent (environ 5 minutes).
Ajoutez les épices, puis la tomate, la pomme de terre et le bouillon. Mélangez bien et portez le bouillon à ébullition avant de réduire le feu pour qu'il mijote doucement. Couvrez et laissez cuire en remuant de temps à autre pendant 10 à 15 minutes, jusqu'à ce que la pomme de terre soit tendre.
Retirez la poêle du feu et incorporez le riz. Si la préparation est un peu trop acide à cause de la tomate, adoucissez-la avec de la mélasse. Assaisonnez de noix muscade et servez.

DES IDÉES POUR LE RIZ

Le riz brun est la base idéale des repas familiaux. C'est un aliment miracle (voir page 76) qui se prépare à l'avance et se congèle sans problème, en plus d'être économique. Les recettes de ces deux pages ne sont qu'un aperçu des plats que l'on peut préparer avec du riz. Le mieux est certainement de combiner une petite quantité de chacun des légumes que vous avez sous la main, peut-être avec un peu de sauce tomate ou de bouillon aux herbes (voir page 176) pour donner du moelleux, et d'ajouter au dernier moment une poignée d'herbes aromatiques fraîches hachées. Vous pouvez aussi utiliser les sauces pour les pâtes des pages 160 à 163. Voici quelques idées supplémentaires.

• Rondelles d'oignon et de céleri sautées, et carotte râpée

• Haricots secs, basilic frais haché, sauce tomate et parmesan râpé

• Poulet sauté émincé, oignon et pomme râpée

• Épinards hachés et oignons sautés (avec des pignons de pin pour les enfants plus grands)

• Dés de courgette sautés et tomates au pesto

• Saumon, petits pois, pousses de soja émincées et sauce de soja

• Dés de poivron et champignons sautés

• Pois chiches et oignons émincés cuits au lait de coco avec de la pâte de curry

• Haricots rouges, maïs doux, dés de tomate, oignons blancs émincés avec une pincée de cumin en poudre, un trait de jus de citron vert et de la coriandre fraîche hachée

• Petits pois et parmesan râpé

• Sardines à la tomate et oignons sautés

• Rondelles de poireau, de chou et de champignons sautés

RIZ À LA MÉDITERRANÉENNE

POUR 4 À 6 PORTIONS

1 petite aubergine (250 g) parée et coupée en dés
1 belle courgette (300 g) parée et coupée en dés
1 oignon moyen (150 g) coupé en dés
1 poivron rouge paré et épépiné, coupé en dés
2 gousses d'ail finement hachées
12 cl d'eau filtrée
225 g de riz brun cuit

Ce plat multicolore apporte un large éventail de nutriments, justement parce qu'il est coloré (voir page 116).

Mettez les légumes et l'eau dans une poêle sur feu moyen. Couvrez et laissez cuire en remuant de temps en temps jusqu'à ce qu'ils soient tendres et que les saveurs se mêlent, soit environ 1 heure.
Servez avec du riz à part ou mélangé.

Tortilla aux champignons

Pour 4 portions

2 cuil. à soupe d'huile d'olive
   vierge extra
1 échalote finement hachée
360 g de champignons parés et
   finement hachés
1 petite poignée de persil frais
   haché
5 œufs

Ce plat est parfait pour le déjeuner ou (pourquoi pas ?) le petit déjeuner. Découpez la tortilla en petits morceaux pour les enfants qui préfèrent manger avec les doigts.

Dans une grande poêle à fond épais, faites chauffer la moitié de l'huile à feu moyen. Ajoutez l'échalote et faites-la revenir environ 3 minutes pour qu'elle soit transparente et tendre. Ajoutez les champignons et laissez-les cuire environ 8 minutes en remuant souvent. Hachez le persil et ajoutez-le aux champignons. Laissez cuire jusqu'à ce que l'arôme du persil s'adoucisse, soit environ 2 minutes, puis retirez la poêle du feu et réservez.

Dans une poêle de 23 cm de diamètre, mettez le reste d'huile à feu moyen jusqu'à ce qu'elle soit chaude, mais non fumante.

Battez légèrement les œufs pour les mélanger sans les faire mousser. Incorporez les champignons et versez le mélange dans la poêle. Remuez une ou deux fois et laissez cuire jusqu'à ce que le dessous soit pris et que des bulles remontent à la surface, qui doit rester liquide (environ 2 à 3 minutes). Allumez le gril.

Posez la poêle à une dizaine de centimètres du gril et faites prendre le dessus de la tortilla en 1 minute environ. N'attendez pas trop ; la tortilla doit rester tendre et onctueuse, et surtout ne pas sécher.

Servez chaud ou froid.

Ragoût de haricots à l'ail

Pour 4 à 6 portions

250 g de haricots secs
3 gousses d'ail pelées
1 feuille de laurier
170 g de bettes rincées, parées et
   coupées en dés
Pour la garniture
2 gousses d'ail finement hachées
4 cuil. à soupe d'huile d'olive
   vierge extra

Les bettes peuvent être remplacées par des épinards frais ou surgelés. Si vous manquez de temps, vous pouvez également utiliser des haricots en boîte sans sel.

Mettez les haricots dans une grande casserole et couvrez-les de 5 cm d'eau. Puis portez à ébullition à couvert à feu vif. Retirez du feu et laissez reposer 1 heure.

Égouttez les haricots et couvrez-les d'eau froide. Ajoutez les gousses d'ail entières, la feuille de laurier et l'oignon. Couvrez et portez à ébullition, puis réduisez le feu pour que le liquide mijote vivement. Laissez cuire les haricots environ 1 heure en vérifiant de temps à autre qu'ils sont toujours couverts d'eau.

Ajoutez les bettes, couvrez et poursuivez la cuisson 20 à 30 minutes jusqu'à ce qu'elles soient tendres.

Pour préparer la garniture, faites chauffer l'ail et l'huile dans une petite poêle à feu doux, juste pour dorer l'ail (environ 10 minutes). Retirez du feu et versez l'ail dans un petit bol de service. Tenez au chaud.

Répartissez le ragoût dans des bols et présentez à part l'ail et l'huile.

THON AUX VINGT GOUSSES D'AIL

Servi avec des pommes de terre au four, ce plat fera un délicieux repas familial.

POUR 4 PORTIONS

2 cuil. à soupe d'huile d'olive vierge extra
20 gousses d'ail non pelées
25 cl de bouillon aux herbes (voir page 176) ou de vin blanc sec
4 darnes de thon de taille moyenne
Persil plat haché pour le décor

Faites chauffer l'huile et les gousses d'ail à feu moyen dans une grande poêle à fond épais. Mélangez, couvrez et laissez l'ail cuire jusqu'à ce qu'il ramollisse, en remuant de temps en temps, soit environ 10 minutes. Versez lentement le bouillon et grattez le fond de la poêle pour décoller les fragments d'ail caramélisé. Couvrez partiellement et faites réduire le liquide d'un quart, ce qui prendra à peu près 4 minutes. Rincez et épongez les darnes de thon et mettez-les dans la poêle. Laissez cuire 10 à 12 minutes partiellement couvert pour que le thon soit entièrement opaque. Disposez le poisson sur un plat de service chaud. Augmentez le feu sous la poêle et faites réduire le jus de cuisson de moitié (environ 4 minutes). Versez-le sur le thon, décorez de persil et servez.
Avant de présenter ce plat aux enfants, ôtez la peau du thon et vérifiez qu'il ne reste aucune arête. Pour déguster l'ail, appuyez doucement sur la gousse et recueillez la pulpe qui en sort. Étalez cette purée sur le thon ou mangez-la à part.

HARICOTS VERTS AUX AROMATES

Au lieu d'une sauce à l'huile et aux aromates, vous pouvez utiliser le pesto aux noix de la page 162 en divisant les proportions par deux.

POUR 4 PORTIONS

500 g de haricots verts fins épluchés et coupés en tronçons
3 cuil. à soupe d'huile d'olive vierge extra ou d'huile de noix
Herbes aromatiques fraîches en mélange (sarriette, thym, basilic)

Faites cuire les haricots verts à la vapeur jusqu'à ce qu'ils soient assez tendres pour pouvoir être mâchés par les petits (de 5 à 8 minutes).
Pendant ce temps, mélangez l'huile d'olive et les herbes aromatiques dans un grand saladier.
Quand les haricots sont cuits, égouttez-les et jetez-les sans attendre dans le saladier, puis mélangez soigneusement. Servez tiède.

BEURRE CLARIFIÉ

POUR 38 CL DE BEURRE
CLARIFIÉ

500 g de beurre doux

Il existe des méthodes plus rapides pour clarifier le beurre, mais celle-ci permet d'éviter que le beurre et les matières solides ne cuisent, ce qui est meilleur pour la santé.

Préchauffez le four à 110 °C. Mettez le beurre dans une cocotte à four assez grande pour le contenir largement. Laissez au four jusqu'à ce que le beurre soit entièrement fondu; les matières solides doivent remonter à la surface et le liquide du fond prendre une couleur dorée (comptez 1 heure et demie).
Sortez le récipient du four et écumez la surface pour retirer les matières solides. Versez le liquide dans un bocal en laissant au fond de la cocotte la substance laiteuse qui s'y est déposée. Le beurre clarifié se conserve plusieurs mois au réfrigérateur, dans le bocal bien fermé.

BOUILLON AUX HERBES

POUR 1,25 LITRE DE BOUILLON

*Une branche de romarin de
    5 cm
2 feuilles de laurier
15 brins de thym frais
10 feuilles de sauge
2 gousses d'ail
1 oignon coupé en quartiers
1,5 l d'eau*

Congelez ce bouillon dans des bacs à glaçons pour disposer de portions toutes prêtes.

Mettez tous les ingrédients dans un faitout, couvrez et portez à ébullition sur feu moyen. Baissez le feu pour que le liquide frémisse à peine et laissez cuire 20 minutes.
Filtrez le bouillon et utilisez-le immédiatement ou congelez-le.

SAUCE YAOURT AU CURRY

POUR ENVIRON 25 CL DE SAUCE

25 cl de yaourt nature
1 cuil. à café de curry en poudre

Cette sauce très simple réveille toutes sortes de plats : salades, viandes, poissons, pommes de terre au four. Elle accompagne aussi le riz.

Fouettez le yaourt et le curry. La sauce se conserve jusqu'à une semaine au réfrigérateur, dans un récipient hermétique.

SAUCE AU THON

POUR ENVIRON 40 CL DE SAUCE

300 g de thon albacore en boîte, à l'huile ou au naturel, égoutté
60 g de câpres égouttées
6 cuil. à soupe d'huile d'olive vierge extra

Servez cette sauce avec des hors-d'œuvre froids : bâtonnets de légumes, crackers ou pain.

Passez le thon et les câpres au mixeur. Sans arrêter l'appareil, ajoutez l'huile en filet et continuez à mixer jusqu'à ce que la préparation ait pris une couleur ivoire et soit lisse et légère, soit environ 8 minutes.

SAUCE AVOCAT

POUR ENVIRON 25 CL DE SAUCE

2 avocats pelés, dénoyautés et grossièrement hachés
2 cuil. à soupe de jus de citron frais
1 gousse d'ail émincée
1 cuil. à soupe d'huile d'olive vierge extra
1/4 de cuil. à café de cumin en poudre

Cette préparation peut se tartiner sur du pain ou se déguster avec des bâtonnets de légumes crus. Elle peut également assaisonner une salade, allongée d'un peu de yaourt si nécessaire.

Passez tous les ingrédients au mixeur jusqu'à obtention d'un mélange bien lisse.

GÂTEAU D'AVOINE AUX DATTES

POUR UN GÂTEAU DE 23 CM
(JUSQU'À 12 PARTS)

3 œufs
1 cuil. à café de mélasse
1 cuil. à café d'extrait de vanille
90 g de farine d'avoine
1 cuil. à café de levure chimique
3 cuil. à soupe de flocons
  d'avoine
200 g de dattes hachées
2 cuil. à café de zeste d'orange
  râpé

Si vous ne trouvez pas de farine d'avoine, passez tout simplement des flocons d'avoine au mixeur jusqu'à obtention d'une poudre assez fine.

Préchauffez le four à 190 °C. Beurrez et farinez un moule à manqué de 23 cm de diamètre.

Dans une grande terrine, ou dans le bol du mixeur, battez les œufs entiers avec la mélasse et l'extrait de vanille pour obtenir un mélange léger et mousseux. Ajoutez la farine d'avoine, la levure et 2 cuillerées à soupe de flocons d'avoine. Incorporez les dattes et le zeste d'orange, puis versez la pâte dans le moule. Répartissez le reste des flocons d'avoine sur le dessus.

Enfournez à mi-hauteur environ 20 minutes, jusqu'à ce que le gâteau rebondisse sous le doigt. Sortez le moule du four et laissez-le refroidir sur une grille. Démoulez et coupez en tranches avant de servir.

BISCUITS DE MAÏS AU GINGEMBRE

POUR ENVIRON 55 BISCUITS

190 g de semoule de maïs fine
30 g de lait en poudre
  instantané
2 cuil. à café de levure chimique
1/2 cuil. à café de noix muscade
  râpée
1/2 cuil. à café de gingembre en
  poudre
70 g de flocons d'avoine
4 cuil. à soupe d'huile végétale
  de goût neutre ou de beurre
  doux fondu
12 cl de mélasse
4 cuil. à soupe de miel
1 œuf
4 cuil. à soupe de lait
60 g de raisins secs hachés

Ayez toujours de ces biscuits dans une boîte pour remplacer les gâteaux du commerce. Mais n'en sortez pas trop à la fois, car ils partiront vite !

Préchauffez le four à 180 °C. Tapissez deux plaques à pâtisserie de papier sulfurisé.

Dans une terrine, mélangez tous les ingrédients secs, sauf les raisins. Dans une seconde terrine, battez l'huile, la mélasse, le miel, l'œuf entier et le lait pour obtenir un mélange homogène. Incorporez le contenu de la première terrine sans trop travailler la pâte, puis ajoutez les raisins secs.

Disposez des cuillerées de pâte sur les plaques à pâtisserie. Mettez au four environ 10 minutes ; les biscuits doivent être gonflés et rebondir sous le doigt. Sortez les plaques du four et laissez les biscuits refroidir sur une grille.

ENTREMETS DES PIONNIERS

POUR 6 PORTIONS

Voici une très ancienne recette américaine.

1 l de lait
55 g de grosse semoule de maïs
20 cl de mélasse
125 g de beurre doux
1 cuil. à café de gingembre en poudre
1/2 cuil. à café de cannelle en poudre
1 pincée de girofle en poudre
70 g de raisins secs
Yaourt nature (facultatif)

Préchauffez le four à 180 °C. Beurrez un moule à soufflé de 1,5 l. Faites chauffer le lait dans une grande casserole à feu moyen. Ajoutez la semoule de maïs en fouettant et laissez épaissir environ 15 minutes en remuant souvent. Incorporez la mélasse en mélangeant au fouet, retirez la casserole du feu et incorporez le beurre, les épices et les raisins secs.

Versez la préparation dans le moule et faites cuire à mi-hauteur du four jusqu'à ce que l'entremets soit pris, soit environ 1 heure et demie.

Sortez le moule du four et laissez-le reposer jusqu'à ce qu'il ne soit plus brûlant. Servez avec du yaourt si vous le désirez.

CRÈME AUX FRUITS

POUR 4 À 6 PORTIONS

Vous pouvez ajouter tous les fruits que vous voulez à cette crème, surtout des baies fraîches.

1 banane
1 cuil. à café de jus de citron frais
1 l de jus de fruits (par exemple pomme, fraise, cerise ou raisin)
6 cuil. à soupe de farine de riz
Yaourt nature (facultatif)

Pelez la banane, coupez-la en dés et disposez la pulpe au fond d'un moule à soufflé de 1,5 l. Arrosez de jus de citron pour éviter le noircissement.

Dans une casserole, portez le jus de fruits à ébullition à feu moyen. Ajoutez la farine de riz en mélangeant au fouet, attendez la reprise de l'ébullition et laissez épaissir entre 8 et 10 minutes. Retirez la casserole du feu et versez le mélange sur les dés de banane. Laissez refroidir et servez avec du yaourt si vous le désirez. Ce dessert se mange tiède ou au contraire bien froid.

Entremets au chocolat

Pour 6 portions

3 cuil. à soupe de semoule de
    maïs
1 cuil. à soupe de tapioca
50 cl de lait
8 cl de miel
60 g de chocolat amer
1 cuil. à café d'extrait de vanille

Essayez de vous procurer du chocolat à 70 % de cacao, de préférence biologique.

Dans une casserole, mélangez à feu doux la semoule de maïs, le tapioca et le lait. Ajoutez le miel et le chocolat et laissez épaissir en remuant souvent. La préparation ne doit pas bouillir.
Ajoutez l'extrait de vanille et retirez la casserole du feu. Versez la crème dans un plat et laissez-la refroidir, puis mettez-la au réfrigérateur. Servez froid.

Flan de polenta aux pommes

Pour 4 à 6 portions

2 grosses pommes pelées, parées
    et coupées en tranches très
    fines
1/4 de cuil. à café de cannelle
    en poudre
2 œufs
4 cuil. à soupe de miel
4 cuil. à soupe de mélasse
25 cl de lait
250 g de polenta fine
200 g de farine complète
1 cuil. à soupe de levure
    chimique

Cette douceur simple et savoureuse deviendra vite le dessert préféré de toute la famille.

Préchauffez le four à 200 °C. Disposez les pommes dans un plat à four sur une épaisseur d'environ 2,5 cm. Saupoudrez de cannelle.
Dans un bol, battez les jaunes d'œufs, le miel, la mélasse et le lait. Mélangez le reste des ingrédients dans une grande terrine. Versez-y le contenu du bol et mélangez à peine sans travailler la pâte.
Battez les blancs d'œufs en neige et incorporez-les à la pâte. Versez la pâte sur les pommes et mettez au four environ 30 minutes. Le flan doit être gonflé et rebondir sous le doigt.

⟨ Salade de fruits tropicaux ⟩

Cette salade est idéale pour les enfants : elle est colorée, délicieuse et excellente pour la santé. En fait de recette, il ne s'agit que d'une méthode de base à adapter aux différents fruits dont vous disposez selon la saison et les goûts de votre enfant. Mélangez les ingrédients suivants, éventuellement coupés en petits dés : 1 mangue pelée et dénoyautée ; la chair d'un demi-melon ; 1 kiwi pelé ; 70 g de framboises entières ; 5 dattes dénoyautées ; 1 cuillerée à soupe de jus de citron vert. Servez immédiatement.

SABLÉS AUX FRUITS

POUR 6 PORTIONS

250 g de farine complète
2 cuil et demie. à café de levure chimique
1/2 cuil. à café de noix muscade râpée
3 à 6 cuil. à café de beurre doux
12 à 20 cl de lait
400 g de fruits rouges en mélange, frais ou surgelés
Yaourt nature

Les enfants plus âgés se feront un plaisir de vous aider à préparer ces sablés.

Préchauffez le four à 220 °C. Mélangez la farine, la levure et la noix muscade dans une terrine. Incorporez le beurre du bout des doigts jusqu'à ce que la farine forme de petites boules. En mélangeant à la fourchette, ajoutez assez de lait pour obtenir une pâte souple qui ne colle pas.

Étalez la pâte du plat de la main en un carré de 18 cm de côté. Coupez le carré en 6 parts égales. Faites cuire les sablés à mi-hauteur du four environ 25 minutes, jusqu'à ce qu'ils soient gonflés et légèrement dorés. Sortez-les du four, coupez-les en deux dans le sens de l'épaisseur et disposez la partie inférieure de chacun sur une assiette. Garnissez de baies et d'une bonne cuillerée de yaourt, puis remettez en place l'autre moitié du sablé.

CROUSTILLES DE POULET

POUR 4 À 6 PORTIONS

1/2 pot de yaourt nature
250 à 375 g de poulet sans la
*   peau (pas de blancs, de*
*   préférence)*
150 g d'amandes
75 g de farine
2 à 3 cuil. à soupe d'huile
*   d'olive vierge extra*

Accompagnement facultatif :
*   yaourt nature*

Grâce aux amandes, ces croustilles sont nettement supérieures aux produits panés du commerce. Les restes peuvent être congelés.

Versez le yaourt dans un plat creux. Découpez le poulet en morceaux et enrobez-les de yaourt.

Passez les amandes au mixeur jusqu'à ce qu'elles soient réduites en poudre (mais pas en pâte). Ajoutez la farine et mélangez intimement.

Préchauffez le four à 230 °C. Versez 2 cuillerées à soupe d'huile dans un grand plat à rôtir ou dans un poêlon en fonte, et mettez le récipient au four pour faire chauffer l'huile, qui ne doit pas fumer.

Passez les morceaux de poulet dans le mélange amandes-farine pour qu'ils soient bien enrobés et disposez-les en une seule couche dans l'huile chaude. Il faudra peut-être les faire cuire en deux fois, en ajoutant un peu d'huile entre les fournées. Laissez dorer le poulet sur une face environ 3 minutes, puis retournez les morceaux et continuez la cuisson encore 2 minutes afin que le poulet soit cuit et uniformément coloré.

Disposez les morceaux sur un plat et laissez refroidir légèrement avant de servir. Présentez éventuellement avec du yaourt pour y tremper les morceaux.

BÂTONNETS DE POISSON

POUR 4 À 6 PORTIONS

250 g de thon, de maquereau ou
*   d'espadon frais, sans peau ni*
*   arêtes, coupé en morceaux de*
*   5 cm ¥ 1,25 cm*
75 g d'amandes en poudre pas
*   trop fine*
1/2 cuil. à café d'origan séché
2 à 3 cuil. à soupe d'huile
*   d'olive vierge extra*

Vous pouvez utiliser un poisson blanc de type cabillaud.

Mélangez les amandes et l'origan dans un bol. Étalez ce mélange sur un plan de travail, dans un plat peu profond ou sur une assiette. Rincez le poisson et roulez-le dans les amandes en appuyant un peu.

Faites chauffer l'huile dans une poêle à feu moyen. Faites sauter le poisson jusqu'à ce qu'il soit bien doré et cuit, et que les amandes soient grillées. Comptez entre 1 et 4 minutes par face selon le poisson.

Disposez sur un plat de service et laissez faire les petits doigts !

Beignets de légumes à la japonaise

Pour 4 à 6 portions

1 kg de légumes divers
(courgettes, pommes de terre,
patates douces, brocolis)
90 g de farine
25 cl d'eau minérale gazeuse
50 cl d'huile de friture de goût
neutre (carthame ou
tournesol)
40 cl d'huile d'olive vierge extra

Même les enfants les plus récalcitrants avaleront leurs légumes en un clin d'œil grâce à cette recette !

Parez et pelez les légumes si nécessaire, rincez-les et épongez-les. Coupez les pommes de terre en rondelles très fines, partagez les brocolis en petits bouquets et coupez la tige en tranches fines. Dans un grand saladier, versez la farine et ajoutez l'eau gazeuse en battant au fouet. Tapissez une plaque à pâtisserie de plusieurs épaisseurs de papier brun non imprimé, ou de papier absorbant. Faites chauffer les huiles dans une friteuse jusqu'à ce qu'elles soient chaudes mais non fumantes. Trempez quelques morceaux de légumes dans la pâte et laissez le surplus s'égoutter. Avec des pinces, jetez-les dans la friteuse en évitant qu'ils ne se touchent. Laissez-les dorer au maximum 1 minute. Sortez-les du bain de friture, égouttez l'huile en excès et faites-les refroidir sur la plaque à pâtisserie. Servez les beignets quand ils ne sont plus brûlants.

Quenelles de saumon

Pour 4 à 6 portions

500 g de filet de saumon sans
peau ni arêtes, coupé en
morceaux
1 gros œuf
1 petite poignée de persil plat
frais
1 petite botte de ciboulette

Ces quenelles sont excellentes servies sur un lit d'épinards cuits à la vapeur et arrosés de jus de citron frais.

Passez la chair du saumon au mixeur pour obtenir une purée homogène. Incorporez l'œuf. Hachez le persil et la ciboulette et ajoutez-les au mélange de poisson sans trop travailler. Faites bouillir de l'eau dans une casserole de taille moyenne. Avec 2 cuillères à café, prélevez des boulettes de pâte de saumon et laissez-les tomber dans la casserole sans en mettre trop à la fois. Faites-les pocher environ 3 minutes pour qu'elles soient rose pâle jusqu'au cœur et remontent à la surface. Sortez les quenelles de l'eau avec une écumoire, égouttez-les et disposez-les sur un plat. Servez-les quand elles ne sont plus brûlantes.

RENSEIGNEMENTS PRATIQUES

Cette liste a pour but de vous aider à vous documenter sur les aspects de la nutrition et de la puériculture qui vous intéressent. Elle vous aidera aussi à trouver dans le commerce les produits cités dans cet ouvrage.
Elle ne se veut pas exhaustive. Par ailleurs, nous ne cautionnons pas forcément les activités des associations citées.

ALLERGIES ET AFFECTIONS DIVERSES : ASSOCIATIONS

Aide aux jeunes diabétiques
3, rue Gazan
75014 Paris
Tél. : 01 44 16 89 89 (Numéris)

Assocation Asthme
10, rue du Commandant-Schloesing
75016 Paris
Tél. : 01 47 55 03 56

Association française des diabétiques
51, rue Alexandre-Dumas
75011 Paris
Tél. : 01 40 09 24 25

Association française des intolérants au gluten
11, villa Thoréton
75015 Paris
Tél. : 01 45 54 71 23
Fax : 01 45 54 71 43

**Comité national contre les maladies respiratoires et la tuberculose
Asthme et enfance (CNMRTAE)**
Un comité par département
66, boulevard Saint-Michel
75006 Paris
Tél. : 01 46 34 58 80
Fax : 01 43 29 06 58

ALLERGIES : BIBLIOGRAPHIE

L'Enfant allergique : le lait et les œufs
Philippe-Gaston Besson et Kurt Werthmann,
Jouvence, 1998

Vivre avec une allergie
Claude Molina, éd. du Rocher, 1993

101 réponses à propos de l'allergie
Claude Thérond, Le Livre de Poche, 1992

HYPERACTIVITÉ : BIBLIOGRAPHIE

Le Cousin hyperactif,
Jean Gervais, Boréal, 1996
(pour les 9-12 ans)

Du calme !
Théo Compernolle, Belin, 1996

L'Enfant hyperactif,
Didier-Jacques Duché, Ellipses, 1996

Pourquoi votre enfant est-il hyperactif,
Ben Feingold, Étincelle, 1976

PRODUITS ALIMENTAIRES POUR BÉBÉS ET PRODUITS BIOLOGIQUES

Babybio
Fabriqué par Vitagermine,
rue Ferdinand-de-Lesseps
33612 Cestas Cedex
Ligne info santé 01 45 56 07 69
*Laits en poudre biologiques 1er et 2e âge,
céréales vanille 2e âge.*

Bioland
Importé par Rapunzel France
25, avenue Barbès
13160 Châteaurenard
*12 références de petits pots exempts
de protéines du lait, dont 5 sont aussi
sans gluten.*

Dame Nature
• 85, bd Hausmann
75008 Paris
Tél. : 01 47 42 77 11
• 76, rue St Honoré
75001 Paris
Tél. : 01 42 21 42 34
• Les 4 Temps- La défense
92800 Puteaux
Tél. : 01 47 73 55 19
• Centre commercial Arcades Noisy
94200 Noisy le Grand
Tél. : 01 43 05 53 30
• Centre commercial Créteil Soleil
94000 Créteil
Tél. : 01 49 80 31 80
• 1, rue du Fort
77340 Pontault Combault
Tél. : 01 60 29 09 08
• Centre commercial Part-Dieu
69000 Lyon
Tél. : 04 78 62 39 71
• Centre commercial Genis 2
69230 Genis Laval
Tél. : 04 78 56 52 58
Laits maternisés 1er et 2e âge, bouillies à base de céréales, biscuits, petits pots, fruits, légumes et laitages issus de l'agriculture biologique.

Favrichon Baby
Produit par Favrichon et Vignon
42470 St Symphorien de Lay
Céréales, tapioca, müesli bio pour bébés.

Hipp France
59, boulevard Vivier Merle
69429 Lyon Cedex 03
Tél. : 04 72 91 81 00
Petits pots, purées et céréales issus de l'agriculture biologique. En vente dans les magasins de produits naturels, ainsi qu'à Monoprix, Carrefour, Auchan, Champion et Cora.

Naturalia
• 52, rue Saint-Antoine
75004 Paris
Tél. : 01 48 87 87 50
• 36, rue Monge
75005 Paris
Tél. : 01 43 29 90 60
• 126, boulevard Raspail
75006 Paris
Tél. : 01 40 49 09 06
• 53 bis, rue Cler
75007 Paris
Tél. :01 45 51 31 68
• 121, boulevard Magenta
75010 Paris
Tél. : 01 48 78 32 41
• 44, avenue d'Italie
75013 Paris
Tél. : 01 45 65 15 22
• 16, avenue du Général Leclerc
75014 Paris
Tél. : 01 43 21 56 56
• 86, rue Cambronne
75015 Paris
Tél. : 01 45 67 59 59
• 26, rue Poncelet
75017 Paris
Tél. : 01 42 27 27 99
• 107, rue Caulaincourt
75018 Paris
Tél. : 01 42 62 33 68
Bouillie d'épautre, müesli pour bébés, céréales vanille, petits pots et jus de fruits en ampoules.

Rendez-vous de la nature
96, rue Mouffetard
75005 Paris
Tél. : 01 43 36 59 34
Expéditions aux particuliers dans toute la France de petits pots, farines, bouillies, laits maternisés 1er et 2e âge, purées de fruits, jus de fruits en ampoules.

Sunval Demeter
Importé par Jonathan France
70, rue Beauvoisin
13290 Aix en Provence
Tel. : 04 42 95 17 27 (Numéris)
      04 42 95 18 60 (Numéris)
*15 références de petits pots dont certains
sans gluten et/ou lactoprotéines*

VIANDE BIOLOGIQUE PAR CORRESPONDANCE

Biobourgogne Viande
10, quai du Batardeau
89000 Auxerre
Tél. : 03 86 72 92 25
Fax : 03 86 72 92 26

Volailles Bodin et Fils
85200 Mervent
Tél. : 02 51 00 21 45
Fax : 02 51 00 28 34
Internet : bodin@wanadoo.fr

ALLAITEMENT MATERNEL

La Leche League France
BP 18
78620 L'Étang-la-Ville
Tél. (national) : 01 39 58 45 84

Solidarilait
26, bd Brune
75014 Paris
Tél. : 01 40 44 70 70

ALLAITEMENT MATERNEL : BIBLIOGRAPHIE

L'allaitement,
Marie Thirion, Ramsay, 1980

Guide de l'allaitement et du sevrage,
Pascale Walter, éd. Syros, 1995

LIVRES DE RECETTES

La Bio gourmande,
éd. Bonneterre, tél : 01 49 78 25 00

L'Énergie du cru,
Leslie Kenton, Jouvence, 1995

Les Délices du potager,
Claude Belou, Éd. Vie et santé, 1988

Mangez bio,
Coline Enlart, éd. Marabout, 1997

RECUEILS D'ADRESSES

Les bonnes adresses de la bio 98,
Nature et progrès, éd. Utovie, 1997

Vivre bio à Paris,
Catherine Mercadier, Parigramme, 1997

MAGAZINES

Bio Santé
mensuel vendu en kiosque et sur abonnement
111, avenue Victor-Hugo
75016 Paris

ADDITIFS ALIMENTAIRES : BIBLIOGRAPHIE

La Pollution alimentaire,
Louis de Brouwer, Encre, 1990

Les Poisons de votre alimentation,
Antoine Roig, éd. du Rocher, 1988

Toxic Bouffe, le Dico,
Lionelle Nugon-Baudon, Lattès, 1997

GLOSSAIRE

Acides aminés Constituants essentiels des protéines. Les acides aminés essentiels, que l'organisme est incapable de fabriquer, doivent impérativement provenir de l'alimentation.

Acides gras essentiels Les acides gras essentiels sont les acides linoléique, alphalinoléique, gammalinoléique (GLA), écosapentanoïque (EPA), arachadonique (AA) et docosahexaénoïque (DHA). Indispensables à la vie, ils jouent un rôle primordial dans la formation du tissu nerveux et des cellules cérébrales. Ils sont nécessairement tirés de l'alimentation, car nous sommes incapables de les synthétiser (seule exception : les femmes qui allaitent).

Antiperspirant Qui empêche la perspiration, c'est-à-dire les échanges respiratoires qui se font par la peau.

Botulisme Intoxication grave causée par la toxine du bacille botulique et entraînant des paralysies. Ce bacille se développe dans les conserves mal stérilisées.

Caséine Protéine du lait de vache. C'est elle qui pose problème aux intolérants et aux allergiques.

Choc anaphylactique Choc allergique survenant après l'exposition à une substance à laquelle le sujet est sensible, et qui se manifeste, entre autres, par une dilatation des vaisseaux, entraînant une chute brutale de la tension artérielle.

Cholestérol Composant lipidique du sang. Normalement éliminé quand il est trop abondant, le cholestérol peut aussi s'accumuler dans les artères et y former des dépôts calcifiés (athérosclérose).

Enzymes Substances protéiques qui jouent un rôle dans nombre de réactions chimiques, en particulier la digestion.

Flavonoïdes Pigments jaunes présents dans certains aliments d'origine végétale (citrouille, abricot, melon). Ils ont des propriétés comparables à celles de certaines vitamines.

Glycémie Taux de glucose (c'est-à-dire de sucre) dans le sang. Chez l'adulte bien portant à jeun, elle est comprise entre 0,6 et 1,1 gramme par litre. On parle de diabète au-dessus de 1,2 g/l.

Gressin (ou *grissini*) Bâtonnets croustillants d'origine italienne faits de pâte à pain additionnée d'huile ou de beurre.

Histamine Substance chimique, naturellement présente dans l'organisme, sécrétée en grande quantité lors d'une réaction allergique inflammatoire (rhume des foins, urticaire).

Immunoglobulines Anticorps sécrétés par les globules blancs, dont le rôle est de combattre et de neutraliser certaines substances étrangères ou pathogènes.

Macrominéraux Sels minéraux que l'organisme consomme en grande quantité (calcium, magnésium…).

Météorisme Gonflement de l'abdomen dû aux gaz s'accumulant dans l'abdomen et l'intestin.

Monoinsaturé Se dit d'un lipide qui ne comporte qu'une seule double liaison moléculaire. L'huile d'olive est une excellente source de lipides monoinsaturés.

Nachos Crêpes de maïs croustillantes d'origine tex-mex.

Œstrogène Hormone sexuelle capable de provoquer l'œstrus, c'est-à-dire de rendre fécondable les mammifères femelles.

Oligo-éléments Sels minéraux que l'organisme consomme en quantités infimes, mais qui n'en sont pas moins indispensables à la santé (fer, cuivre, silicium, zinc, fluor, manganèse, iode, lithium, brome, sélénium, molybdène, or, argent).

Pellagre Maladie due à une carence en vitamine PP et se manifestant par des lésions cutanées, des troubles digestifs et nerveux.

Péristaltisme Contractions musculaires de l'intestin dont le but est d'en faire progresser le contenu.

Phyto-œstrogène Voir *œstrogène*, d'origine végétale.

Phytonutriment Substance nutritive issue de produits végétaux.

Polyinsaturé Se dit d'un lipide qui comporte au moins deux doubles liaisons moléculaires.

Pumpernickel Pain de seigle d'origine allemande, très compact et de couleur presque noire.

Propolis Sorte de gomme que les abeilles utilisent pour colmater leur ruche et fixer leurs rayons de cire.

Radicaux libres Molécules hautement réactives qui endommagent les cellules. On les dit responsables de certains phénomènes de vieillissement et de certaines maladies (athérosclérose par exemple).

Salsa Sauce tex-mex à base de tomates et de poivrons.

Saturé Se dit d'un lipide dont toutes les liaisons moléculaires sont saturées.

Tahin pâte épaisse et crémeuse à base de graines et d'huile de sésame.

Trypsine Enzyme (voir ce mot) pancréatique qui facilite et accélère la digestion des protéines.

Xéno-œstrogène Voir *œstrogène*, étranger au corps humain.

INDEX DES RECETTES CLASSÉES PAR ALIMENTS

INDEX DES RECETTES

INDEX GÉNÉRAL